は　し　が　き

　平成 30 年 3 月に告示された高等学校学習指導要領が，令和 4 年度から年次進行で本格的に実施
されます。

　今回の学習指導要領では，各教科等の目標及び内容が，育成を目指す資質・能力の三つの柱（「知
識及び技能」，「思考力，判断力，表現力等」，「学びに向かう力，人間性等」）に沿って再整理され，
各教科等でどのような資質・能力の育成を目指すのかが明確化されました。これにより，教師が
「子供たちにどのような力が身に付いたか」という学習の成果を的確に捉え，主体的・対話的で
深い学びの視点からの授業改善を図る，いわゆる「指導と評価の一体化」が実現されやすくなる
ことが期待されます。

　また，子供たちや学校，地域の実態を適切に把握した上で教育課程を編成し，学校全体で教育
活動の質の向上を図る「カリキュラム・マネジメント」についても明文化されました。カリキュ
ラム・マネジメントの一側面として，「教育課程の実施状況を評価してその改善を図っていくこと」
がありますが，このためには，教育課程を編成・実施し，学習評価を行い，学習評価を基に教育
課程の改善・充実を図るというPDCAサイクルを確立することが重要です。このことも，まさ
に「指導と評価の一体化」のための取組と言えます。

　このように，「指導と評価の一体化」の必要性は，今回の学習指導要領において，より一層明確
なものとなりました。そこで，国立教育政策研究所教育課程研究センターでは，「幼稚園，小学校，
中学校，高等学校及び特別支援学校の学習指導要領等の改善及び必要な方策等について（答申）」
（平成 28 年 12 月 21 日中央教育審議会）をはじめ，「児童生徒の学習評価の在り方について（報
告）」（平成 31 年 1 月 21 日中央教育審議会初等中等教育分科会教育課程部会）や「小学校，中学
校，高等学校及び特別支援学校等における児童生徒の学習評価及び指導要録の改善等について」
（平成 31 年 3 月 29 日付初等中等教育局長通知）を踏まえ，令和 2 年 3 月に公表した小・中学校
版に続き，高等学校版の「『指導と評価の一体化』のための学習評価に関する参考資料」を作成し
ました。

　本資料では，学習評価の基本的な考え方や，各教科等における評価規準の作成及び評価の実施
等について解説しているほか，各教科等別に単元や題材に基づく学習評価について事例を紹介し
ています。各学校においては，本資料や各教育委員会等が示す学習評価に関する資料などを参考
としながら，学習評価を含むカリキュラム・マネジメントを円滑に進めていただくことで，「指導
と評価の一体化」を実現し，子供たちに未来の創り手となるために必要な資質・能力が育まれる
ことを期待します。

　最後に，本資料の作成に御協力くださった方々に心から感謝の意を表します。

　令和 3 年 8 月

国立教育政策研究所

教育課程研究センター長

鈴　木　敏　之

学習評価とは？

学習評価：学校での教育活動に関し、生徒の学習状況を評価するもの

学習評価を通して
- 教師が指導の改善を図る
- 生徒が自らの学習を振り返って次の学習に向かうことができるようにする

⇒評価を教育課程の改善に役立てる

学習評価について指摘されている課題

学習評価の現状について、学校や教師の状況によっては、以下のような課題があることが指摘されている。

- 学期末や学年末などの事後での評価に終始してしまうことが多く、評価の結果が児童生徒の具体的な学習改善につながっていない

- 現行の「関心・意欲・態度」の観点について、挙手の回数や毎時間ノートをとっているかなど、性格や行動面の傾向が一時的に表出された場面を捉える評価であるような誤解が払拭しきれていない

- 教師によって評価の方針が異なり、学習改善につなげにくい

- 教師が評価のための「記録」に労力を割かれて、指導に注力できない

- 相当な労力をかけて記録した指導要録が、次の学年や学校段階において十分に活用されていない

生徒の意見

先生によって観点の重み付けが違うんです。授業態度をとても重視する先生もいるし、テストだけで判断するという先生もいます。そうすると、どう努力していけばよいのか本当にわかりにくいんです
（中央教育審議会初等中等教育分科会教育課程部会児童生徒の学習評価に関するワーキンググループ第7回における高等学校三年生の意見より）

カリキュラム・マネジメントの一環としての指導と評価「主体的・対話的で深い学び」の視点からの授業改善と評価

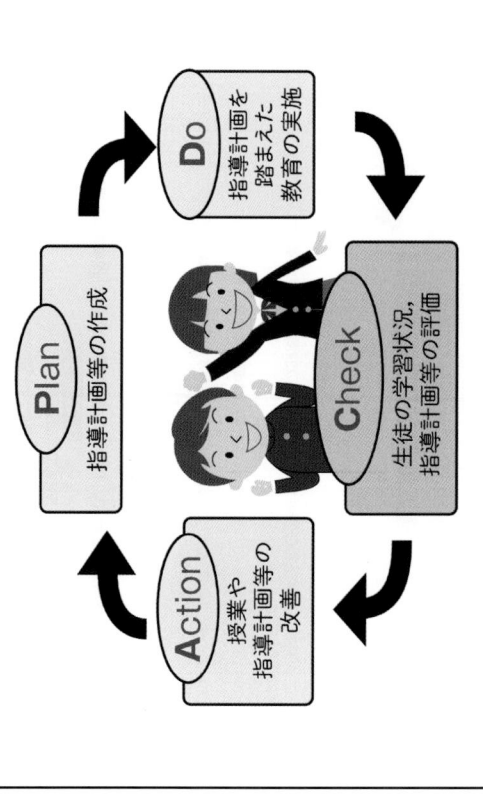

- **Plan** 指導計画等の作成
- **Do** 指導計画を踏まえた教育の実施
- **Check** 生徒の学習状況、指導計画等の評価
- **Action** 授業や指導計画等の改善

平成30年告示の学習指導要領における目標の構成

各教科等の「目標」「内容」の記述を、「知識及び技能」「思考力、判断力、表現力等」「学びに向かう力、人間性等」の資質・能力の3つの柱で再整理。

平成21年告示高等学校学習指導要領

国語
第1款 目標
国語を適切に表現し的確に理解する能力を育成し、伝え合う力を高めるとともに、思考力や想像力を伸ばし、心情を豊かにし、言語感覚を磨き、言語文化に対する関心を深め、国語を尊重してその向上を図る態度を育てる。

例えば、国語科では

知識及び技能　思考力、判断力、表現力

平成30年告示高等学校学習指導要領

国語
第1款 目標
言葉による見方・考え方を働かせ、言語活動を通して、国語で的確に理解し効果的に表現する資質・能力を次のとおり育成することを目指す。
(1) 生涯にわたる社会生活に必要な国語について、その特質を理解し適切に使うことができるようにする。【知識及び技能】
(2) 生涯にわたる社会生活における他者との関わりの中で伝え合う力を高め、思考力や想像力を伸ばす。【思考力、判断力、表現力等】
(3) 言葉のもつ価値を認識するとともに、言語感覚を磨き、我が国の言語文化の担い手としての自覚をもち、生涯にわたり国語を尊重してその能力の向上を図る態度を養う。【学びに向かう力、人間性等】

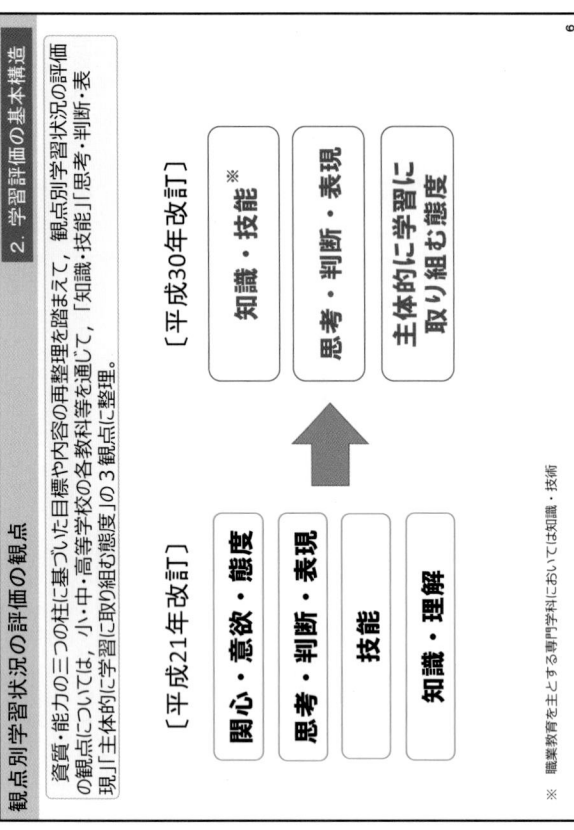
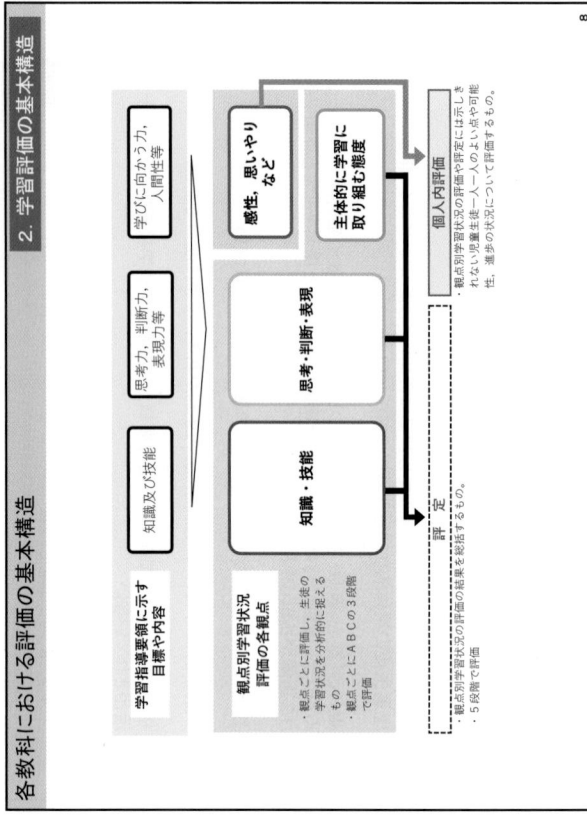

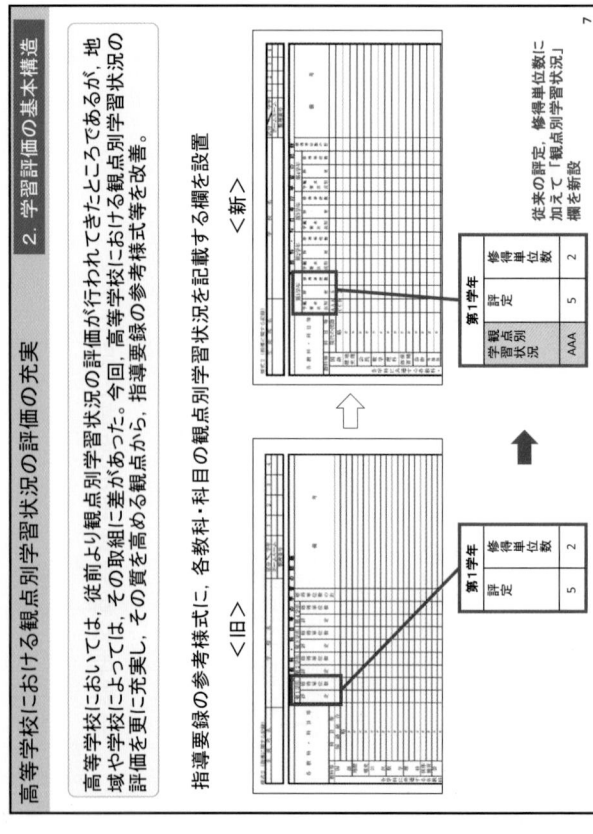

スライド9

次のようなエ夫が考えられる

● 授業において
それぞれの教科等の特質に応じ、観察・実験をしたり、式やグラフで表現したりするなど学習した知識や技能を用いる場面を設計し評価

● ペーパーテストにおいて
事実的な知識の習得を問う問題と知識の概念的な理解を問う問題とのバランスに配慮して出題し評価

スライド10

次のようなエ夫が考えられる

● ペーパーテストにおいて、出題の仕方をエ夫して評価
● 論述やレポートを課して評価
● 発表やグループでの話合いなどの場面で評価
● 作品の制作などにおいて多様な表現活動を設け、ポートフォリオを活用して評価

スライド11

学びに向かう力,人間性等

① 観点別学習状況の評価にはなじまない部分（感性、思いやり等）

㋐ 「主体的に学習に取り組む態度」として観点別学習状況の評価を通じて見取ることができる部分

個人内評価（生徒一人一人のよい点や可能性,進歩の状況について評価するもの）等を通じて見取る。
※ 特に感性や思いやりなど生徒一人一人のよい点や可能性、進歩の状況などについては,積極的に評価し生徒に伝えることが重要。

知識及び技能を獲得したり,思考力,判断力,表現力等を身に付けたりすることに向けた粘り強い取組の中で,自らの学習を調整しようとしているかどうかを含めて評価する。

「学びに向かう力,人間性等」には、㋐「主体的に学習に取り組む態度」として観点別学習状況の評価を通じて見取ることができる部分と、①観点別学習状況の評価や評定にはなじまない部分がある。

スライド12

「主体的に学習に取り組む態度」の評価のイメージ

○「主体的に学習に取り組む態度」の評価については,①知識及び技能を獲得したり,思考力,判断力,表現力等を身に付けたりすることに向けた粘り強い取組を行おうとする側面と,②の粘り強い取組を行う中で自らの学習を調整しようとする側面という二つの側面から評価することが求められる。

○これらの①②の姿は実際の教科等の学びの中では別々ではなく相互に関わり合いながら立ち現れるものと考えられる。例えば,①の粘り強さを全く発揮せずに②自らの学習を調整しようとすることは難しく,逆に②自らの学習を調整しようとせずに①粘り強く取り組み続けることや,粘り強さが全くない中で自らの学習を調整する姿は一般的ではない。

② 自らの学習を調整しようとする側面
① 粘り強い取組を行おうとする側面

「十分満足できる」状況(A)
「おおむね満足できる」状況(B)
「努力を要する」状況(C)

●「自らの学習を調整しようとする側面」について

自らの学習状況を振り返って把握し、学習の進め方について試行錯誤する（微調整を繰り返す）などの意思的な側面

指導において次のような工夫も大切

■ 生徒が自らの理解状況を振り返ることができるような発問を工夫したり指示したりする

■ 内容のまとまりの中で、話し合ったり他の生徒との協働を通じて自らの考えを相対化するような場面を設ける

◎ ここでの評価は、生徒の学習の調整が適切に行われているかどうかを必ずしも判断するものではない。学習の調整が適切に行われていない場合には、教師の指導が求められる。

「内容のまとまり」ごとの評価規準を作成する → 単元（題材）の目標を作成する → 単元（題材）の評価規準を作成する

指導と評価の計画を立てる → 授業（指導と評価）を行う → 評価の総括を行う

総括に用いる評価の記録については、場面を精選する

※ 職業教育を主とする専門学科においては、学習指導要領の規定から、「（指導項目）ごとの評価規準」とする。

評価の方針等の生徒との共有

学習評価の妥当性や信頼性を高めるとともに、生徒自身に学習の見通しをもたせるため、学習評価の方針を事前に生徒と共有する場面を必要に応じて設ける。

観点別学習状況の評価を行う場面の精選

観点別学習状況の評価に係る記録は、毎回の授業ではなく、単元や題材などの内容や時間のまとまりごとに行うことにするなど、評価場面を精選する。
※ 日々の授業における生徒の学習状況を適宜把握して指導の改善に生かすことに重点を置くことが重要。

外部試験や検定等の学習評価への利用

外部試験や検定等（高校生のための学びの基礎診断の認定を受けた測定ツールなど）の結果を、指導や評価の改善につなげることも重要。
※ 外部試験や検定等は、学習指導要領の目標に準拠したものでない場合や内容を網羅的に扱うものでない場合があることから、教師が行う学習評価の補完材料である（外部試験等の結果そのものをもって教師の評価に代えることは適切ではない）ことには十分留意が必要であること。

学校全体としての組織的な取組

教師の勤務負担軽減を図りながら学習評価の妥当性や信頼性が高められるよう、学校全体としての組織的かつ計画的な取組を行うことが重要。

※ 例えば以下の取組が考えられる。

・ 教師同士での評価規準や評価方法の検討、明確化
・ 実践事例の蓄積、共有
・ 評価結果の検討等を通じた教師の力量の向上
・ 校内組織（学年会や教科等部会等）の活用

目次

【巻頭資料】学習評価に関する基本的事項（スライド）

※本冊子については,改訂後の常用漢字表（平成22年11月30日内閣告示）に基づいて表記しています（学習指導要領及び初等中等教育局長通知等の引用部分を除く）。

〔巻頭資料（スライド）について〕

　巻頭資料（スライド）は,学習評価に関する基本事項を簡潔にまとめたものです。巻頭資料の記載に目を通し概略を把握することで,本編の内容を読み進める上での一助となることや,各自治体や各学校における研修等で使用する資料の参考となることを想定しています。記載内容は最小限の情報になっているので,詳細については,本編を御参照ください。

第1編

総説

第1編　総説

本編においては，以下の資料について，それぞれ略称を用いることとする。

答申：「幼稚園，小学校，中学校，高等学校及び特別支援学校の学習指導要領等の改善
　　　及び必要な方策等について（答申）」　平成28年12月21日　中央教育審議会

報告：「児童生徒の学習評価の在り方について（報告）」　平成31年1月21日　中央教
　　　育審議会　初等中等教育分科会　教育課程部会

改善等通知：「小学校，中学校，高等学校及び特別支援学校等における児童生徒の学習
　　　評価及び指導要録の改善等について（通知）」　平成31年3月29日　初等中等
　　　教育局長通知

第1章　平成30年の高等学校学習指導要領改訂を踏まえた学習評価の改善

1　はじめに

　　学習評価は，学校における教育活動に関し，生徒の学習状況を評価するものである。答申にもあるとおり，生徒の学習状況を的確に捉え，教師が指導の改善を図るとともに，生徒が自らの学びを振り返って次の学びに向かうことができるようにするためには，学習評価の在り方が極めて重要である。

　　各教科等の評価については，「観点別学習状況の評価」と「評定」が学習指導要領に定める目標に準拠した評価として実施するものとされている[1]。観点別学習状況の評価とは，学校における生徒の学習状況を，複数の観点から，それぞれの観点ごとに分析的に捉える評価のことである。生徒が各教科等での学習において，どの観点で望ましい学習状況が認められ，どの観点に課題が認められるかを明らかにすることにより，具体的な指導や学習の改善に生かすことを可能とするものである。各学校において目標に準拠した観点別学習状況の評価を行うに当たっては，観点ごとに評価規準を定める必要がある。評価規準とは，観点別学習状況の評価を的確に行うため，学習指導要領に示す目標の実現の状況を判断するよりどころを表現したものである。本参考資料は，観点別学習状況の評価を実施する際に必要となる評価規準等，学習評価を行うに当たって参考となる情報をまとめたものである。

　　以下，文部省指導資料から，評価規準について解説した部分を参考として引用する。

---

[1] 各教科の評価については，観点別学習状況の評価と，これらを総括的に捉える「評定」の両方について実施するものとされており，観点別学習状況の評価や評定には示しきれない生徒の一人一人のよい点や可能性，進歩の状況については，「個人内評価」として実施するものとされている（P.6～11に後述）。

（参考）評価規準の設定（抄）

（文部省「小学校教育課程一般指導資料」（平成5年9月）より）

　新しい指導要録（平成3年改訂）では，観点別学習状況の評価が効果的に行われるようにするために，「各観点ごとに学年ごとの評価規準を設定するなどの工夫を行うこと」と示されています。

　これまでの指導要録においても，観点別学習状況の評価を適切に行うため，「観点の趣旨を学年別に具体化することなどについて工夫を加えることが望ましいこと」とされており，教育委員会や学校では目標の達成の度合いを判断するための基準や尺度などの設定について研究が行われてきました。

　しかし，それらは，ともすれば知識・理解の評価が中心になりがちであり，また「目標を十分達成（＋）」，「目標をおおむね達成（空欄）」及び「達成が不十分（－）」ごとに詳細にわたって設定され，結果としてそれを単に数量的に処理することに陥りがちであったとの指摘がありました。

　今回の改訂においては，学習指導要領が目指す学力観に立った教育の実践に役立つようにすることを改訂方針の一つとして掲げ，各教科の目標に照らしてその実現の状況を評価する観点別学習状況を各教科の学習の評価の基本に据えることとしました。したがって，評価の観点についても，学習指導要領に示す目標との関連を密にして設けられています。

　このように，学習指導要領が目指す学力観に立つ教育と指導要録における評価とは一体のものであるとの考え方に立って，各教科の目標の実現の状況を「関心・意欲・態度」，「思考・判断・表現」，「技能・表現（または技能）」及び「知識・理解」の観点ごとに適切に評価するため，「評価規準を設定する」ことを明確に示しているものです。

　「評価規準」という用語については，先に述べたように，新しい学力観に立って子供たちが自ら獲得し身に付けた資質や能力の質的な面，すなわち，学習指導要領の目標に基づく幅のある資質や能力の育成の実現状況の評価を目指すという意味から用いたものです。

2　平成30年の高等学校学習指導要領改訂を踏まえた学習評価の意義
（1）学習評価の充実

　平成30年に改訂された高等学校学習指導要領総則においては，学習評価の充実について新たに項目が置かれている。具体的には，学習評価の目的等について以下のように示し，単元や題材など内容や時間のまとまりを見通しながら，生徒の主体的・対話的で深い学びの実現に向けた授業改善を行うと同時に，評価の場面や方法を工夫して，学習の過程や成果を評価することを示し，授業の改善と評価の改善を両輪として行っていくことの必要性が明示されている。

> ・生徒のよい点や進歩の状況などを積極的に評価し，学習したことの意義や価値を実感できるようにすること。また，各教科・科目等の目標の実現に向けた学習状況を把握する観点から，単元や題材など内容や時間のまとまりを見通しながら評価の場面や方法を工夫して，学習の過程や成果を評価し，指導の改善や学習意欲の向上を図り，資質・能力の育成に生かすようにすること。
> ・創意工夫の中で学習評価の妥当性や信頼性が高められるよう，組織的かつ計画的な取組を推進するとともに，学年や学校段階を越えて生徒の学習の成果が円滑に接続されるように工夫すること。

（高等学校学習指導要領 第1章 総則 第3款 教育課程の実施と学習評価 2 学習評価の充実）

　報告では現状の学習評価の課題として，学校や教師の状況によっては，学期末や学年末などの事後での評価に終始してしまうことが多く，評価の結果が生徒の具体的な学習改善につながっていないなどの指摘があるとしている。このため，学習評価の充実に当たっては，いわゆる評価のための評価に終わることのないよう指導と評価の一体化を図り，学習の成果だけでなく，学習の過程を一層重視し，生徒が自分自身の目標や課題をもって学習を進めていけるように評価を行うことが大切である。

　また，報告においては，教師によって学習評価の方針が異なり，生徒が学習改善につなげにくいといった現状の課題も指摘されている。平成29年度文部科学省委託調査「学習指導と学習評価に対する意識調査」（以下「平成29年度文科省意識調査」）では，学習評価への取組状況について，「A：校内で評価方法や評価規準を共有したり，授業研究を行ったりして，学習評価の改善に，学校全体で取り組んでいる」「B：評価規準の改善，評価方法の研究などは，教員個人に任されている」の二つのうちどちらに近いか尋ねたところ，高等学校では「B」又は「どちらかと言うとB」が約55％を占めている。このような現状を踏まえ，特に高等学校においては，学習評価の妥当性や信頼性を高め，授業改善や組織運営の改善に向けた学校教育全体の取組に位置付ける観点から，組織的かつ計画的に取り組むようにすることが必要である。

（2）カリキュラム・マネジメントの一環としての指導と評価

　各学校における教育活動の多くは，学習指導要領等に従い生徒や地域の実態を踏まえて編成された教育課程の下，指導計画に基づく授業（学習指導）として展開される。各学校では，生徒の学習状況を評価し，その結果を生徒の学習や教師による指導の改善や学校全体としての教育課程の改善等に生かし，学校全体として組織的かつ計画的に教育活動の質の向上を図っていくことが必要である。このように，「学習指導」と「学習評価」は学校の教育活動の根幹に当たり，教育課程に基づいて組織的かつ計画的に教育活動の質の向上を図る「カリキュラム・マネジメント」の中核的な役割を担っているのである。

（3）主体的・対話的で深い学びの視点からの授業改善と評価

　　指導と評価の一体化を図るためには，生徒一人一人の学習の成立を促すための評価という視点を一層重視し，教師が自らの指導のねらいに応じて授業での生徒の学びを振り返り，学習や指導の改善に生かしていくことが大切である。すなわち，平成30年に改訂された高等学校学習指導要領で重視している「主体的・対話的で深い学び」の視点からの授業改善を通して各教科等における資質・能力を確実に育成する上で，学習評価は重要な役割を担っている。

（4）学習評価の改善の基本的な方向性

　　（1）〜（3）で述べたとおり，学習指導要領改訂の趣旨を実現するためには，学習評価の在り方が極めて重要であり，すなわち，学習評価を真に意味のあるものとし，指導と評価の一体化を実現することがますます求められている。

　　このため，報告では，以下のように学習評価の改善の基本的な方向性が示された。

① 児童生徒の学習改善につながるものにしていくこと

② 教師の指導改善につながるものにしていくこと

③ これまで慣行として行われてきたことでも，必要性・妥当性が認められないものは見直していくこと

3　平成30年の高等学校学習指導要領改訂を受けた評価の観点の整理

　　平成30年改訂学習指導要領においては，知・徳・体にわたる「生きる力」を生徒に育むために「何のために学ぶのか」という各教科等を学ぶ意義を共有しながら，授業の創意工夫や教科書等の教材の改善を促すため，全ての教科・科目等の目標及び内容を「知識及び技能」，「思考力，判断力，表現力等」，「学びに向かう力，人間性等」の育成を目指す資質・能力の三つの柱で再整理した（図1参照）。知・徳・体のバランスのとれた「生きる力」を育むことを目指すに当たっては，各教科・科目等の指導を通してどのような資質・能力の育成を目指すのかを明確にしながら教育活動の充実を図ること，その際には，生徒の発達の段階や特性を踏まえ，三つの柱に沿った資質・能力の育成がバランスよく実現できるよう留意する必要がある。

図1

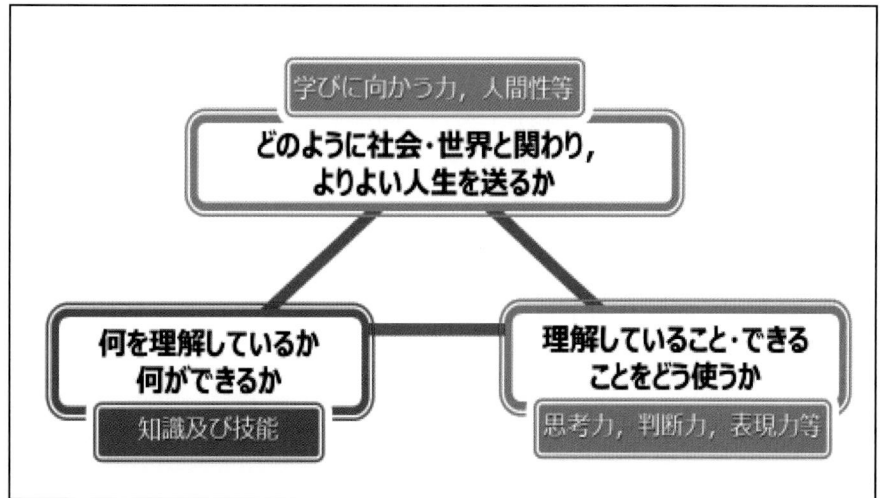

　観点別学習状況の評価については，こうした教育目標や内容の再整理を踏まえて，小・中・高等学校の各教科を通じて，４観点から３観点に整理された（図２参照）。

図２

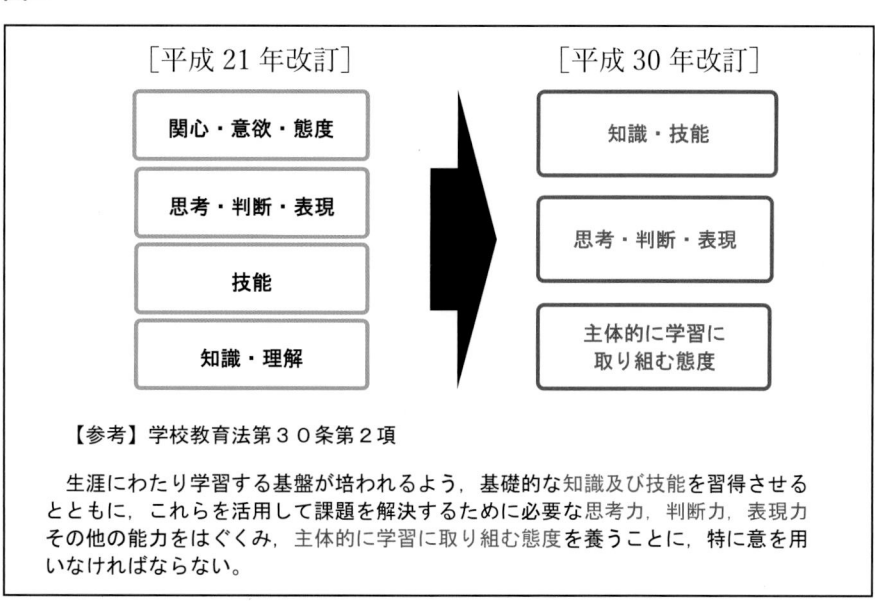

4　平成30年の高等学校学習指導要領改訂における各教科・科目の学習評価

　各教科・科目の学習評価においては，平成30年改訂においても，学習状況を分析的に捉える「観点別学習状況の評価」と，これらを総括的に捉える「評定」の両方について，学習指導要領に定める目標に準拠した評価として実施するものとされた。

　同時に，答申では「観点別学習状況の評価」について，高等学校では，知識量のみを問うペーパーテストの結果や，特定の活動の結果などのみに偏重した評価が行われているのではないかとの懸念も示されており，指導要録の様式の改善などを通じて評価の観点を明確にし，観点別学習状況の評価を更に普及させていく必要があるとされた。報告ではこの点について，以下のとおり示されている。

【高等学校における観点別学習状況の評価の扱いについて】

○　高等学校においては，従前より観点別学習状況の評価が行われてきたところであるが，地域や学校によっては，その取組に差があり，形骸化している場合があるとの指摘もある。「平成29年度文科省意識調査」では，高等学校が指導要録に観点別学習状況の評価を記録している割合は，13.3％にとどまる。そのため，高等学校における観点別学習状況の評価を更に充実し，その質を高める観点から，今後国が発出する学習評価及び指導要録の改善等に係る通知の「高等学校及び特別支援学校高等部の指導要録に記載する事項等」において，観点別学習状況の評価に係る説明を充実するとともに，指導要録の参考様式に記載欄を設けることとする。

これを踏まえ，改善等通知においては，高等学校生徒指導要録に新たに観点別学習状況の評価の記載欄を設けることとした上で，以下のように示されている。

【高等学校生徒指導要録】（学習指導要領に示す各教科・科目の取扱いは次のとおり）

［各教科・科目の学習の記録］

Ⅰ　観点別学習状況

　学習指導要領に示す各教科・科目の目標に基づき，学校が生徒や地域の実態に即して定めた当該教科・科目の目標や内容に照らして，その実現状況を観点ごとに評価し記入する。その際，

　　「十分満足できる」状況と判断されるもの：A

　　「おおむね満足できる」状況と判断されるもの：B

　　「努力を要する」状況と判断されるもの：C

のように区別して評価を記入する。

Ⅱ　評定

　各教科・科目の評定は，学習指導要領に示す各教科・科目の目標に基づき，学校が生徒や地域の実態に即して定めた当該教科・科目の目標や内容に照らし，その実現状況を総括的に評価して，

　　「十分満足できるもののうち，特に程度が高い」状況と判断されるもの：5

　　「十分満足できる」状況と判断されるもの：4

　　「おおむね満足できる」状況と判断されるもの：3

　　「努力を要する」状況と判断されるもの：2

　　「努力を要すると判断されるもののうち，特に程度が低い」状況と判断されるもの：1

のように区別して評価を記入する。

　評定は各教科・科目の学習の状況を総括的に評価するものであり，「観点別学習状況」において掲げられた観点は，分析的な評価を行うものとして，各教科・科目の評定を行う場合において基本的な要素となるものであることに十分留意する。その際，評定の適切な決定方法等については，各学校において定める。

　「平成29年度文科省意識調査」では，「観点別学習状況の評価は実践の蓄積があり，定着してきている」に対する「そう思う」又は「まあそう思う」との回答の割合は，小学校・中学校では80％を超えるのに対し，高等学校では約45％にとどまっている。このような現状を踏まえ，今後高等学校においては，観点別学習状況の評価を更に充実し，その質を高めることが求められている。

　また，観点別学習状況の評価や評定には示しきれない生徒一人一人のよい点や可能性，進歩の状況については，「個人内評価」として実施するものとされている。改善等通知においては，「観点別学習状況の評価になじまず個人内評価の対象となるものについては，児童生徒が学習したことの意義や価値を実感できるよう，日々の教育活動等の中で児童生徒に伝えることが重要であること。特に『学びに向かう力，人間性等』のうち『感性や思いやり』など児童生徒一人一人のよい点や可能性，進歩の状況などを積極的に評価し児童生徒に伝えることが重要であること。」と示されている。

　「3　平成30年の高等学校学習指導要領改訂を受けた評価の観点の整理」も踏まえて各教科における評価の基本構造を図示化すると，以下のようになる（図3参照）。

図3

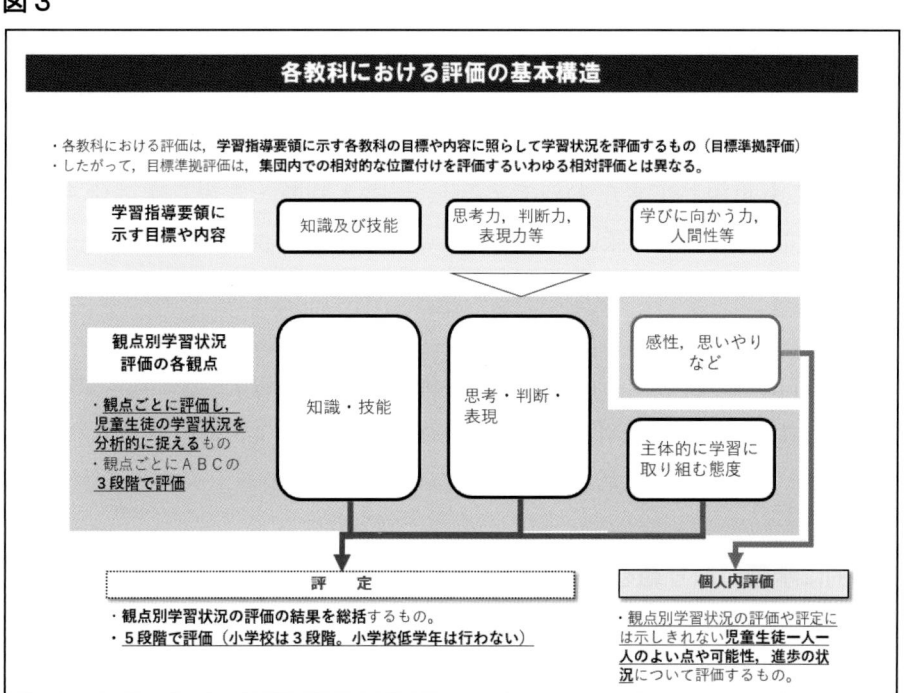

　上記の，「各教科における評価の基本構造」を踏まえた3観点の評価それぞれについての考え方は，以下の（1）～（3）のとおりとなる。なお，この考え方は，総合的な探究の時間，特別活動においても同様に考えることができる。

（１）「知識・技能」の評価について

「知識・技能」の評価は，各教科等における学習の過程を通した知識及び技能の習得状況について評価を行うとともに，それらを既有の知識及び技能と関連付けたり活用したりする中で，他の学習や生活の場面でも活用できる程度に概念等を理解したり，技能を習得したりしているかについても評価するものである。

「知識・技能」におけるこのような考え方は，従前の「知識・理解」（各教科等において習得すべき知識や重要な概念等を理解しているかを評価），「技能」（各教科等において習得すべき技能を身に付けているかを評価）においても重視してきたものである。

具体的な評価の方法としては，ペーパーテストにおいて，事実的な知識の習得を問う問題と，知識の概念的な理解を問う問題とのバランスに配慮するなどの工夫改善を図るとともに，例えば，生徒が文章による説明をしたり，各教科等の内容の特質に応じて，観察・実験したり，式やグラフで表現したりするなど，実際に知識や技能を用いる場面を設けるなど，多様な方法を適切に取り入れていくことが考えられる。

（２）「思考・判断・表現」の評価について

「思考・判断・表現」の評価は，各教科等の知識及び技能を活用して課題を解決する等のために必要な思考力，判断力，表現力等を身に付けているかを評価するものである。

「思考・判断・表現」におけるこのような考え方は，従前の「思考・判断・表現」の観点においても重視してきたものである。「思考・判断・表現」を評価するためには，教師は「主体的・対話的で深い学び」の視点からの授業改善をする中で，生徒が思考・判断・表現する場面を効果的に設計するなどした上で，指導・評価することが求められる。

具体的な評価の方法としては，ペーパーテストのみならず，論述やレポートの作成，発表，グループでの話合い，作品の制作や表現等の多様な活動を取り入れたり，それらを集めたポートフォリオを活用したりするなど評価方法を工夫することが考えられる。

（３）「主体的に学習に取り組む態度」の評価について

答申において「学びに向かう力，人間性等」には，①「主体的に学習に取り組む態度」として観点別学習状況の評価を通じて見取ることができる部分と，②観点別学習状況の評価や評定にはなじまず，こうした評価では示しきれないことから個人内評価を通じて見取る部分があることに留意する必要があるとされている。すなわち，②については観点別学習状況の評価の対象外とする必要がある。

「主体的に学習に取り組む態度」の評価に際しては，単に継続的な行動や積極的な発言を行うなど，性格や行動面の傾向を評価するということではなく，各教科等の「主体的に学習に取り組む態度」に係る観点の趣旨に照らして，知識及び技能を習得したり，思考力，判断力，表現力等を身に付けたりするために，自らの学習状況を把握し，学習の進め方について試行錯誤するなど自らの学習を調整しながら，学ぼうとしているか

どうかという意思的な側面を評価することが重要である。

　従前の「関心・意欲・態度」の観点も，各教科等の学習内容に関心をもつことのみならず，よりよく学ぼうとする意欲をもって学習に取り組む態度を評価するという考え方に基づいたものであり，この点を「主体的に学習に取り組む態度」として改めて強調するものである。

　本観点に基づく評価は，「主体的に学習に取り組む態度」に係る各教科等の評価の観点の趣旨に照らして，

①　知識及び技能を獲得したり，思考力，判断力，表現力等を身に付けたりすることに向けた粘り強い取組を行おうとしている側面

②　①の粘り強い取組を行う中で，自らの学習を調整しようとする側面

という二つの側面を評価することが求められる[2]（図4参照）。

　ここでの評価は，生徒の学習の調整が「適切に行われているか」を必ずしも判断するものではなく，学習の調整が知識及び技能の習得などに結び付いていない場合には，教師が学習の進め方を適切に指導することが求められる。

　具体的な評価の方法としては，ノートやレポート等における記述，授業中の発言，教師による行動観察や生徒による自己評価や相互評価等の状況を，教師が評価を行う際に考慮する材料の一つとして用いることなどが考えられる。

図4

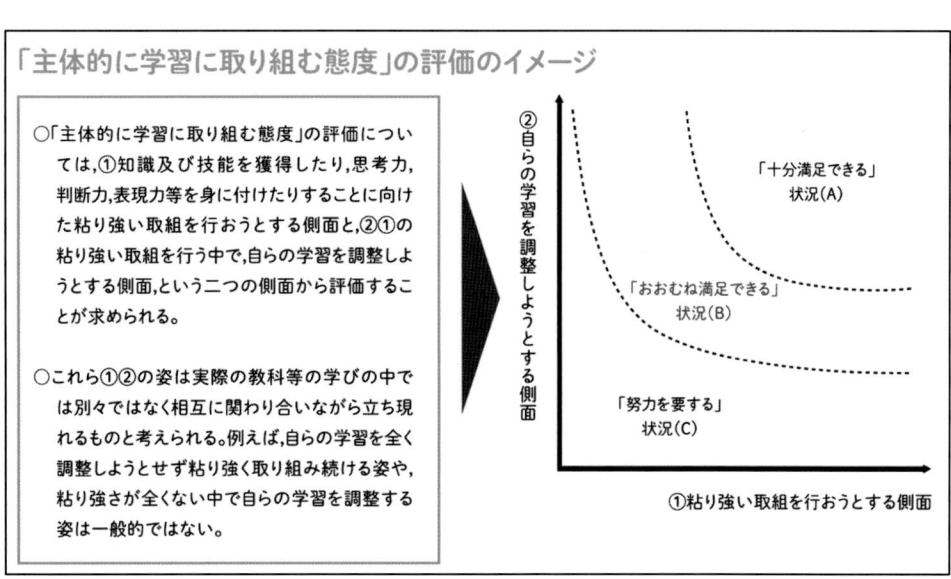

---

[2] これら①②の姿は実際の教科等の学びの中では別々ではなく相互に関わり合いながら立ち現れるものと考えられることから，実際の評価の場面においては，双方の側面を一体的に見取ることも想定される。例えば，自らの学習を全く調整しようとせず粘り強く取り組み続ける姿や，粘り強さが全くない中で自らの学習を調整する姿は一般的ではない。

なお，学習指導要領の「2　内容」に記載のない「主体的に学習に取り組む態度」の評価については，後述する第2章1（2）を参照のこと[3]。

5　改善等通知における総合的な探究の時間，特別活動の指導要録の記録

改善等通知においては，各教科の学習の記録とともに，以下の（1），（2）の各教科等の指導要録における学習の記録について以下のように示されている。

（1）総合的な探究の時間について

改善等通知別紙3には，「総合的な探究の時間の記録については，この時間に行った学習活動及び各学校が自ら定めた評価の観点を記入した上で，それらの観点のうち，生徒の学習状況に顕著な事項がある場合などにその特徴を記入する等，生徒にどのような力が身に付いたかを文章で端的に記述する」とされている。また，「評価の観点については，高等学校学習指導要領等に示す総合的な探究の時間の目標を踏まえ，各学校において具体的に定めた目標，内容に基づいて別紙5を参考に定める」とされている。

（2）特別活動について

改善等通知別紙3には，「特別活動の記録については，各学校が自ら定めた特別活動全体に係る評価の観点を記入した上で，各活動・学校行事ごとに，評価の観点に照らして十分満足できる活動の状況にあると判断される場合に，○印を記入する」とされている。また，「評価の観点については，高等学校学習指導要領等に示す特別活動の目標を踏まえ，各学校において別紙5を参考に定める。その際，特別活動の特質や学校として重点化した内容を踏まえ，例えば『主体的に生活や人間関係をよりよくしようとする態度』などのように，より具体的に定めることも考えられる。記入に当たっては，特別活動の学習が学校やホームルームにおける集団活動や生活を対象に行われるという特質に留意する」とされている。

なお，特別活動は学級担任以外の教師が指導する活動もあることから，評価体制を確立し，共通理解を図って，生徒のよさや可能性を多面的・総合的に評価するとともに，確実に資質・能力が育成されるよう指導の改善に生かすことが求められる。

---

[3] 各教科等によって，評価の対象に特性があることに留意する必要がある。例えば，保健体育科の体育に関する科目においては，公正や協力などを，育成する「態度」として学習指導要領に位置付けており，各教科等の目標や内容に対応した学習評価が行われることとされている。

6 障害のある生徒の学習評価について

学習評価に関する基本的な考え方は，障害のある生徒の学習評価についても同様である。

障害のある生徒については，特別支援学校等の助言又は援助を活用しつつ，個々の生徒の障害の状態や特性及び心身の発達の段階に応じた指導内容や指導方法の工夫を行い，その評価を適切に行うことが必要である。また，指導内容や指導方法の工夫については，学習指導要領の各教科・科目の「指導計画の作成と内容の取扱い」の「指導計画作成上の配慮事項」の「障害のある生徒への配慮についての事項」についての学習指導要領解説も参考となる。

7 評価の方針等の生徒や保護者への共有について

学習評価の妥当性や信頼性を高めるとともに，生徒自身に学習の見通しをもたせるために，学習評価の方針を事前に生徒と共有する場面を必要に応じて設けることが求められており，生徒に評価の結果をフィードバックする際にも，どのような方針によって評価したのかを改めて生徒に共有することも重要である。

また，学習指導要領下での学習評価の在り方や基本方針等について，様々な機会を捉えて保護者と共通理解を図ることが非常に重要である。

第2章　学習評価の基本的な流れ
1　各学科に共通する各教科における評価規準の作成及び評価の実施等について
（1）目標と「評価の観点及びその趣旨」との対応関係について

　　評価規準の作成に当たっては，各学校の実態に応じて目標に準拠した評価を行うために，「評価の観点及びその趣旨[4]」が各教科の目標を踏まえて作成されていることを確認することが必要である[5]。また，教科の目標と「評価の観点及びその趣旨」との関係性を踏まえ，科目の目標に対する「評価の観点の趣旨」を作成することが必要である。

　　なお，「主体的に学習に取り組む態度」の観点は，教科・科目の目標の（3）に対応するものであるが，観点別学習状況の評価を通じて見取ることができる部分をその内容として整理し，示していることを確認することが必要である（図5，6参照）。

図5

【学習指導要領「教科の目標」】

学習指導要領　各教科の「第1款　目標」等

(1)	(2)	(3)
（知識及び技能に関する目標）	（思考力，判断力，表現力等に関する目標）	（学びに向かう力，人間性等に関する目標）[6]

【改善等通知　別紙5「評価の観点及びその趣旨」】

観点	知識・技能	思考・判断・表現	主体的に学習に取り組む態度
趣旨	（知識・技能の観点の趣旨）	（思考・判断・表現の観点の趣旨）	（主体的に学習に取り組む態度の観点の趣旨）

---

[4] 各教科等の学習指導要領の目標の規定を踏まえ，観点別学習状況の評価の対象とするものについて整理したものが教科等の観点の趣旨である。

[5] 芸術科においては，「第2款　各科目」における音楽Ⅰ～Ⅲ，美術Ⅰ～Ⅲ，工芸Ⅰ～Ⅲ，書道Ⅰ～Ⅲについて，それぞれ科目の目標を踏まえて「評価の観点及びその趣旨」が作成されている。

[6] 学びに向かう力，人間性等に関する目標には，個人内評価として実施するものも含まれている。

図6

【学習指導要領「科目の目標」】

学習指導要領　各教科の「第2款　各科目」における科目の目標

(1)	(2)	(3)
（知識及び技能に関する目標）	（思考力，判断力，表現力等に関する目標）	（学びに向かう力，人間性等に関する目標）[7]

観点	知識・技能	思考・判断・表現	主体的に学習に取り組む態度
趣旨	（知識・技能の観点の趣旨）	（思考・判断・表現の観点の趣旨）	（主体的に学習に取り組む態度の観点の趣旨）

科目の目標に対する「評価の観点の趣旨」は各学校等において作成する

（2）「内容のまとまりごとの評価規準」について

　　本参考資料では，評価規準の作成等について示す。具体的には，第2編において学習指導要領の規定から「内容のまとまりごとの評価規準」を作成する際の手順を示している。ここでの「内容のまとまり」とは，学習指導要領に示す各教科等の「第2款　各科目」における各科目の「1　目標」及び「2　内容」の項目等をそのまとまりごとに細分化したり整理したりしたものである[8]。平成30年に改訂された高等学校学習指導要領においては資質・能力の三つの柱に基づく構造化が行われたところであり，各学科に共通する各教科においては，学習指導要領に示す各教科の「第2款 各科目」の「2　内容」

---

[7] 脚注6を参照

[8] 各教科等の学習指導要領の「第3款　各科目にわたる指導計画の作成と内容の取扱い」1(1)に「単元（題材）などの内容や時間のまとまり」という記載があるが，この「内容や時間のまとまり」と，本参考資料における「内容のまとまり」は同義ではないことに注意が必要である。前者は，主体的・対話的で深い学びを実現するため，主体的に学習に取り組めるよう学習の見通しを立てたり学習したことを振り返ったりして自身の学びや変容を自覚できる場面をどこに設定するか，対話によって自分の考えなどを広げたり深めたりする場面をどこに設定するか，学びの深まりをつくりだすために，生徒が考える場面と教師が教える場面をどのように組み立てるか，といった視点による授業改善は，1単位時間の授業ごとに考えるのではなく，単元や題材などの一定程度のまとまりごとに検討されるべきであることが示されたものである。後者（本参考資料における「内容のまとまり」）については，本文に述べるとおりである。

において[9]，「内容のまとまり」ごとに育成を目指す資質・能力が示されている。このため，「2 内容」の記載はそのまま学習指導の目標となりうるものである[10]。学習指導要領の目標に照らして観点別学習状況の評価を行うに当たり，生徒が資質・能力を身に付けた状況を表すために，「2 内容」の記載事項の文末を「～すること」から「～している」と変換したもの等を，本参考資料において「内容のまとまりごとの評価規準」と呼ぶこととする[11]。

ただし，「主体的に学習に取り組む態度」に関しては，特に，生徒の学習への継続的な取組を通して現れる性質を有すること等から[12]，「2 内容」に記載がない[13]。そのため，各科目の「1 目標」を参考にして作成した科目の目標に対する「評価の観点の趣旨」を踏まえつつ，必要に応じて，改善等通知別紙5に示された評価の観点の趣旨のうち「主体的に学習に取り組む態度」に関わる部分を用いて「内容のまとまりごとの評価規準」を作成する必要がある。

なお，各学校においては，「内容のまとまりごとの評価規準」の考え方を踏まえて，各学校の実態を考慮し，単元や題材の評価規準等，学習評価を行う際の評価規準を作成する。

---

[9] 外国語においては「第2款 各科目」の「1 目標」である。

[10] 「2 内容」において示されている指導事項等を整理することで「内容のまとまり」を構成している教科もある。この場合は，整理した資質・能力をもとに，構成された「内容のまとまり」に基づいて学習指導の目標を設定することとなる。また，目標や評価規準の設定は，教育課程を編成する主体である各学校が，学習指導要領に基づきつつ生徒や学校，地域の実情に応じて行うことが必要である。

[11] 各学科に共通する各教科第9節家庭については，学習指導要領の「第1款 目標」(2)及び「第2款 各科目」の「1 目標」(2)に思考力・判断力・表現力等の育成に係る学習過程が記載されているため，これらを踏まえて「内容のまとまりごとの評価規準」を作成する必要がある。

[12] 各教科等の特性によって単元や題材など内容や時間のまとまりはさまざまであることから，評価を行う際は，それぞれの実現状況が把握できる段階について検討が必要である。

[13] 各教科等によって，評価の対象に特性があることに留意する必要がある。例えば，保健体育科の体育に関する科目においては，公正や協力などを，育成する「態度」として学習指導要領に位置付けており，各教科等の目標や内容に対応した学習評価が行われることとされている。

（3）「内容のまとまりごとの評価規準」を作成する際の基本的な手順

各教科における[14]，「内容のまとまりごとの評価規準」を作成する際の基本的な手順は以下のとおりである。

学習指導要領に示された教科及び科目の目標を踏まえて，「評価の観点及びその趣旨」が作成されていることを理解した上で，

① 各教科における「内容のまとまり」と「評価の観点」との関係を確認する。

② 【観点ごとのポイント】を踏まえ，「内容のまとまりごとの評価規準」を作成する。

（4）評価の計画を立てることの重要性

学習指導のねらいが生徒の学習状況として実現されたかについて，評価規準に照らして観察し，毎時間の授業で適宜指導を行うことは，育成を目指す資質・能力を生徒に育むためには不可欠である。その上で，評価規準に照らして，観点別学習状況の評価をするための記録を取ることになる。そのためには，いつ，どのような方法で，生徒について観点別学習状況を評価するための記録を取るのかについて，評価の計画を立てることが引き続き大切である。

しかし，毎時間生徒全員について記録を取り，総括の資料とするために蓄積することは現実的ではないことからも，生徒全員の学習状況を記録に残す場面を精選し，かつ適切に評価するための評価の計画が一層重要になる。

（5）観点別学習状況の評価に係る記録の総括

適切な評価の計画の下に得た，生徒の観点別学習状況の評価に係る記録の総括の時期としては，単元（題材）末，学期末，学年末等の節目が考えられる。

総括を行う際，観点別学習状況の評価に係る記録が，観点ごとに複数ある場合は，例えば，次のような総括の方法が考えられる。

・ **評価結果のＡ，Ｂ，Ｃの数を基に総括する場合**

何回か行った評価結果のＡ，Ｂ，Ｃの数が多いものが，その観点の学習の実施状況を最もよく表現しているとする考え方に立つ総括の方法である。例えば，3回評価を行った結果が「ＡＢＢ」ならばＢと総括することが考えられる。なお，「ＡＡＢＢ」の総括結果をＡとするかＢとするかなど，同数の場合や三つの記号が混在する場合の総括の仕方をあらかじめ各学校において決めておく必要がある。

---

[14] 芸術科においては，「第2款　各科目」における音楽Ⅰ～Ⅲ，美術Ⅰ～Ⅲ，工芸Ⅰ～Ⅲ，書道Ⅰ～Ⅲについて，必要に応じてそれぞれ「内容のまとまりごとの評価規準」を作成する。

・ **評価結果のＡ，Ｂ，Ｃを数値に置き換えて総括する場合**

　　何回か行った評価結果Ａ，Ｂ，Ｃを，例えばＡ＝３，Ｂ＝２，Ｃ＝１のように数値によって表し，合計したり平均したりする総括の方法である。例えば，総括の結果をＢとする範囲を［1.5≦平均値≦2.5］とすると，「ＡＢＢ」の平均値は，約2.3［（３＋２＋２）÷３］で総括の結果はＢとなる。

　　なお，評価の各節目のうち特定の時点に重きを置いて評価を行うこともできるが，その際平均値による方法等以外についても様々な総括の方法が考えられる。

（6）観点別学習状況の評価の評定への総括

　　評定は，各教科の観点別学習状況の評価を総括した数値を示すものである。評定は，生徒がどの教科の学習に望ましい学習状況が認められ，どの教科の学習に課題が認められるのかを明らかにすることにより，教育課程全体を見渡した学習状況の把握と指導や学習の改善に生かすことを可能とするものである。

　　評定への総括は，学期末や学年末などに行われることが多い。学年末に評定へ総括する場合には，学期末に総括した評定の結果を基にする場合と，学年末に観点ごとに総括した結果を基にする場合が考えられる。

　　観点別学習状況の評価の評定への総括は，各観点の評価結果をＡ，Ｂ，Ｃの組合せ，又は，Ａ，Ｂ，Ｃを数値で表したものに基づいて総括し，その結果を５段階で表す。

　　Ａ，Ｂ，Ｃの組合せから評定に総括する場合，「ＢＢＢ」であれば３を基本としつつ，「ＡＡＡ」であれば５又は４，「ＣＣＣ」であれば２又は１とするのが適当であると考えられる。それ以外の場合は，各観点のＡ，Ｂ，Ｃの数の組合せから適切に評定することができるようあらかじめ各学校において決めておく必要がある。

　　なお，観点別学習状況の評価結果は，「十分満足できる」状況と判断されるものをＡ，「おおむね満足できる」状況と判断されるものをＢ，「努力を要する」状況と判断されるものをＣのように表されるが，そこで表された学習の実現状況には幅があるため，機械的に評定を算出することは適当ではない場合も予想される。

　　また，評定は，高等学校学習指導要領等に示す各教科・科目の目標に照らして，その実現状況を「十分満足できるもののうち，特に程度が高い」状況と判断されるものを５，「十分満足できる」状況と判断されるものを４，「おおむね満足できる」状況と判断されるものを３，「努力を要する」状況と判断されるものを２，「努力を要すると判断されるもののうち，特に程度が低い」状況と判断されるものを１（単位不認定）という数値で表される。しかし，この数値を生徒の学習状況について五つに分類したものとして捉えるのではなく，常にこの結果の背後にある生徒の具体的な学習の実現状況を思い描き，適切に捉えることが大切である。評定への総括に当たっては，このようなことも十分に検討する必要がある[15]。また，各学校では観点別学習状況の評価の観点ごとの総括

---

[15] 改善等通知では，「評定は各教科の学習の状況を総括的に評価するものであり，『観点別

及び評定への総括の考え方や方法について，教師間で共通理解を図り，生徒及び保護者に十分説明し理解を得ることが大切である。

2　主として専門学科（職業教育を主とする専門学科）において開設される各教科における評価規準の作成及び評価の実施等について

（1）目標と「評価の観点及びその趣旨」との対応関係について

評価規準の作成に当たっては，各学校の実態に応じて目標に準拠した評価を行うために，「評価の観点及びその趣旨」が各教科の目標を踏まえて作成されていることを確認することが必要である。また，教科の目標と「評価の観点及びその趣旨」との関係性を踏まえ，科目の目標に対する「評価の観点の趣旨」を作成することが必要である。

なお，「主体的に学習に取り組む態度」の観点は，教科・科目の目標の（3）に対応するものであるが，観点別学習状況の評価を通じて見取ることができる部分をその内容として整理し，示していることを確認することが必要である（図7，8参照）。

図7

【学習指導要領「教科の目標」】

学習指導要領　各教科の「第1款　目標」

（1）	（2）	（3）
（知識及び技術に関する目標）	（思考力，判断力，表現力等に関する目標）	（学びに向かう力，人間性等に関する目標）[16]

【改善等通知　別紙5「評価の観点及びその趣旨」】

観点	知識・技術	思考・判断・表現	主体的に学習に取り組む態度
趣旨	（知識・技術の観点の趣旨）	（思考・判断・表現の観点の趣旨）	（主体的に学習に取り組む態度の観点の趣旨）

学習状況』において掲げられた観点は，分析的な評価を行うものとして，各教科の評定を行う場合において基本的な要素となるものであることに十分留意する。その際，評定の適切な決定方法等については，各学校において定める。」と示されている（P.8参照）。

[16] 脚注6を参照

図8

【学習指導要領「科目の目標」】

学習指導要領　各教科の「第2款　各科目」における科目の目標

(1)	(2)	(3)
（知識及び技術に関する目標）	（思考力，判断力，表現力等に関する目標）	（学びに向かう力，人間性等に関する目標）[17]

観点	知識・技術	思考・判断・表現	主体的に学習に取り組む態度
趣旨	（知識・技術の観点の趣旨）	（思考・判断・表現の観点の趣旨）	（主体的に学習に取り組む態度の観点の趣旨）
	科目の目標に対する「評価の観点の趣旨」は各学校等において作成する		

（2）職業教育を主とする専門学科において開設される「〔指導項目〕ごとの評価規準」について

　　職業教育を主とする専門学科においては，学習指導要領の規定から「〔指導項目〕ごとの評価規準」を作成する際の手順を示している。

　　平成30年に改訂された高等学校学習指導要領においては資質・能力の三つの柱に基づく構造化が行われたところであり，職業教育を主とする専門学科においては，学習指導要領解説に示す各科目の「第2 内容とその取扱い」の「2 内容」の各〔指導項目〕において，育成を目指す資質・能力が示されている。このため，「2 内容〔指導項目〕」の記載はそのまま学習指導の目標となりうるものである。学習指導要領及び学習指導要領解説の目標に照らして観点別学習状況の評価を行うに当たり，生徒が資質・能力を身に付けた状況を表すために，「2 内容 〔指導項目〕」の記載事項の文末を「～すること」から「～している」と変換したもの等を，本参考資料において「〔指導項目〕ごとの評価規準」と呼ぶこととする。

　　なお，職業教育を主とする専門学科については，「2 内容 〔指導項目〕」に「学びに向かう力・人間性」に係る項目が存在する。この「学びに向かう力・人間性」に係る項目から，観点別学習状況の評価になじまない部分等を除くことで「主体的に学習に取り組む態度」の「〔指導項目〕ごとの評価規準」を作成することができる。

　　これらを踏まえ，職業教育を主とする専門学科においては，各科目における「内容のまとまり」を〔指導項目〕に置き換えて記載することとする。

---

[17] 脚注6を参照

　各学校においては，「〔指導項目〕ごとの評価規準」の考え方を踏まえて，各学校の実態を考慮し，単元の評価規準等，学習評価を行う際の評価規準を作成する。

（3）「〔指導項目〕ごとの評価規準」を作成する際の基本的な手順

　職業教育を主とする専門学科における，「〔指導項目〕ごとの評価規準」を作成する際の基本的な手順は以下のとおりである。

　学習指導要領に示された教科及び科目の目標を踏まえて，「評価の観点及びその趣旨」が作成されていることを理解した上で，

① 各科目における〔指導項目〕と「評価の観点」との関係を確認する。

② 【観点ごとのポイント】を踏まえ，「〔指導項目〕ごとの評価規準」を作成する。

3　総合的な探究の時間における評価規準の作成及び評価の実施等について
（1）総合的な探究の時間の「評価の観点」について

　平成30年に改訂された高等学校学習指導要領では，各教科等の目標や内容を「知識及び技能」，「思考力，判断力，表現力等」，「学びに向かう力，人間性等」の資質・能力の三つの柱で再整理しているが，このことは総合的な探究の時間においても同様である。

　総合的な探究の時間においては，学習指導要領が定める目標を踏まえて各学校が目標や内容を設定するという総合的な探究の時間の特質から，各学校が観点を設定するという枠組みが維持されている。一方で，各学校が目標や内容を定める際には，学習指導要領において示された以下について考慮する必要がある。

【各学校において定める目標】
・　各学校において定める目標については，各学校における教育目標を踏まえ，総合的な探究の時間を通して育成を目指す資質・能力を示すこと。　　　　　（第2の3(1)）

　総合的な探究の時間を通して育成を目指す資質・能力を示すとは，各学校における教育目標を踏まえて，各学校において定める目標の中に，この時間を通して育成を目指す資質・能力を，三つの柱に即して具体的に示すということである。

【各学校において定める内容】
・　探究課題の解決を通して育成を目指す具体的な資質・能力については，次の事項に配慮すること。
ア　知識及び技能については，他教科等及び総合的な探究の時間で習得する知識及び技能が相互に関連付けられ，社会の中で生きて働くものとして形成されるようにすること。
イ　思考力，判断力，表現力等については，課題の設定，情報の収集，整理・分析，

まとめ・表現などの探究的な学習の過程において発揮され，未知の状況において活用できるものとして身に付けられるようにすること。

ウ　学びに向かう力，人間性等については，自分自身に関すること及び他者や社会との関わりに関することの両方の視点を踏まえること。　　　　（第2の3(6)）

各学校において定める内容について，今回の改訂では新たに，「目標を実現するにふさわしい探究課題」，「探究課題の解決を通して育成を目指す具体的な資質・能力」の二つを定めることが示された。「探究課題の解決を通して育成を目指す具体的な資質・能力」とは，各学校において定める目標に記された資質・能力を，各探究課題に即して具体的に示したものであり，教師の適切な指導の下，生徒が各探究課題の解決に取り組む中で，育成することを目指す資質・能力のことである。この具体的な資質・能力も，「知識及び技能」，「思考力，判断力，表現力等」，「学びに向かう力，人間性等」という資質・能力の三つの柱に即して設定していくことになる。

このように，各学校において定める目標と内容には，三つの柱に沿った資質・能力が明示されることになる。

したがって，資質・能力の三つの柱で再整理した学習指導要領の下での指導と評価の一体化を推進するためにも，評価の観点についてこれらの資質・能力に関わる「知識・技能」，「思考・判断・表現」，「主体的に学習に取り組む態度」の3観点に整理し示したところである。

（2）総合的な探究の時間の「内容のまとまり」の考え方

学習指導要領の第2の2では，「各学校においては，第1の目標を踏まえ，各学校の総合的な探究の時間の内容を定める。」とされている。これは，各学校が，学習指導要領が定める目標の趣旨を踏まえて，地域や学校，生徒の実態に応じて，創意工夫を生かした内容を定めることが期待されているからである。

この内容の設定に際しては，前述したように「目標を実現するにふさわしい探究課題」，「探究課題の解決を通して育成を目指す具体的な資質・能力」の二つを定めることが示され，探究課題としてどのような対象と関わり，その探究課題の解決を通して，どのような資質・能力を育成するのかが内容として記述されることになる（図9参照）。

本参考資料第1編第2章の1（2）では，「内容のまとまり」について，「学習指導要領に示す各教科等の『第2款　各科目』における各科目の『1　目標』及び『2　内容』の項目等をそのまとまりごとに細分化したり整理したりしたもので，『内容のまとまり』ごとに育成を目指す資質・能力が示されている」と説明されている。

したがって，総合的な探究の時間における「内容のまとまり」とは，全体計画に示した「目標を実現するにふさわしい探究課題」のうち，一つ一つの探究課題とその探究課題に応じて定めた具体的な資質・能力と考えることができる。

図9

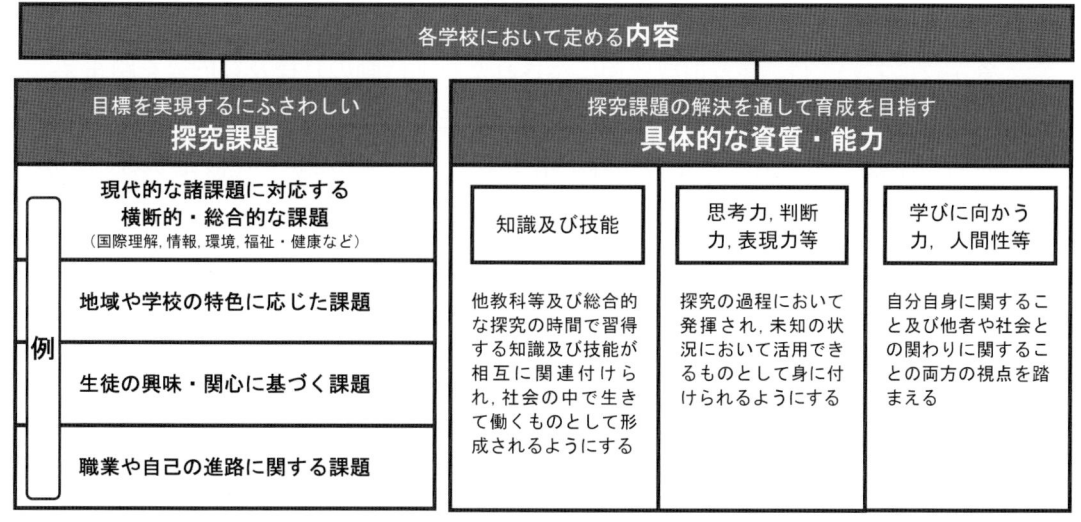

（3）「内容のまとまりごとの評価規準」を作成する際の基本的な手順

　　総合的な探究の時間における，「内容のまとまりごとの評価規準」を作成する際の基本的な手順は以下のとおりである。

---

① 各学校において定めた目標（第2の1）と「評価の観点及びその趣旨」を確認する。

---

② 各学校において定めた内容の記述（「内容のまとまり」として探究課題ごとに作成した「探究課題の解決を通して育成を目指す具体的な資質・能力」）が，観点ごとにどのように整理されているかを確認する。

---

③【観点ごとのポイント】を踏まえ，「内容のまとまりごとの評価規準」を作成する。

4　特別活動の「評価の観点」とその趣旨，並びに評価規準の作成及び評価の実施等について
（1）特別活動の「評価の観点」とその趣旨について

　　特別活動においては，改善等通知において示されたように，特別活動の特質と学校の創意工夫を生かすということから，設置者ではなく，「各学校で評価の観点を定める」ものとしている。本参考資料では「評価の観点」とその趣旨の設定について示している。

（2）特別活動の「内容のまとまり」

　　学習指導要領「第2　各活動・学校行事の目標及び内容」〔ホームルーム活動〕「2　内容」の「(1)ホームルームや学校における生活づくりへの参画」，「(2)日常の生活や学習への適応と自己の成長及び健康安全」，「(3)一人一人のキャリア形成と自己実現」，〔生徒会活動〕，〔学校行事〕「2　内容」の(1)儀式的行事，(2)文化的行事，(3)健康安全・体育的行事，(4)旅行・集団宿泊的行事，(5)勤労生産・奉仕的行事をそれぞれ「内容のまとまり」とした。

（3）特別活動の「評価の観点」とその趣旨，並びに「内容のまとまりごとの評価規準」を作成する際の基本的な手順

　各学校においては，学習指導要領に示された特別活動の目標及び内容を踏まえ，自校の実態に即し，改善等通知の例示を参考に観点を作成する。その際，例えば，特別活動の特質や学校として重点化した内容を踏まえて，具体的な観点を設定することが考えられる。

　また，学習指導要領解説では，各活動・学校行事の内容ごとに育成を目指す資質・能力が例示されている。そこで，学習指導要領で示された「各活動・学校行事の目標」及び学習指導要領解説で例示された「資質・能力」を確認し，各学校の実態に合わせて育成を目指す資質・能力を重点化して設定する。

　次に，各学校で設定した，各活動・学校行事で育成を目指す資質・能力を踏まえて，「内容のまとまりごとの評価規準」を作成する。基本的な手順は以下のとおりである。

---

① 　学習指導要領の「特別活動の目標」と改善等通知を確認する。

② 　学習指導要領の「特別活動の目標」と自校の実態を踏まえ，改善等通知の例示を参考に，特別活動の「評価の観点」とその趣旨を設定する。

③ 　学習指導要領の「各活動・学校行事の目標」及び学習指導要領解説特別活動編（平成 30 年 7 月）で例示した「各活動・学校行事における育成を目指す資質・能力」を参考に，各学校において育成を目指す資質・能力を重点化して設定する。

④ 　【観点ごとのポイント】を踏まえ，「内容のまとまりごとの評価規準」を作成する。

（参考）平成 24 年「評価規準の作成，評価方法等の工夫改善のための参考資料」からの変更点について

　今回作成した本参考資料は，平成 24 年の「評価規準の作成，評価方法等の工夫改善のための参考資料」を踏襲するものであるが，以下のような変更点があることに留意が必要である[18]。

　まず，平成 24 年の参考資料において使用していた「評価規準に盛り込むべき事項」や「評価規準の設定例」については，報告において「現行の参考資料のように評価規準を詳細に示すのではなく，各教科等の特質に応じて，学習指導要領の規定から評価規準を作成する際の手順を示すことを基本とする」との指摘を受け，第 2 編において示すことを改め，本参考資料の第 3 編における事例の中で，各教科等の事例に沿った評価規準を例示したり，その作成手順等を紹介したりする形に改めている。

　次に，本参考資料の第 2 編に示す「内容のまとまりごとの評価規準」は，平成 24 年の「評価規準の作成，評価方法等の工夫改善のための参考資料」において示した「評価規準に盛り込むべき事項」と作成の手順を異にする。具体的には，「評価規準に盛り込むべき事項」は，平成 21 年改訂学習指導要領における各教科等の目標及び内容の記述を基に，学習評価及び指導要録の改善通知で示している各教科等の評価の観点及びその趣旨を踏まえて作成したものである。

　また，平成 24 年の参考資料では「評価規準に盛り込むべき事項」をより具体化したものを「評価規準の設定例」として示している。「評価規準の設定例」は，原則として，学習指導要領の各教科等の目標及び内容のほかに，当該部分の学習指導要領解説（文部科学省刊行）の記述を基に作成していた。他方，本参考資料における「内容のまとまりごとの評価規準」については，平成 30 年改訂の学習指導要領の目標及び内容が育成を目指す資質・能力に関わる記述で整理されたことから，既に確認のとおり，そこでの「内容のまとまり」ごとの記述を，文末を変換するなどにより評価規準とすることを可能としており，学習指導要領の記載と表裏一体をなす関係にあると言える。

　さらに，「主体的に学習に取り組む態度」の「各教科等の評価の観点の趣旨」についてである。前述のとおり，従前の「関心・意欲・態度」の観点から「主体的に学習に取り組む態度」の観点に改められており，「主体的に学習に取り組む態度」の観点に関しては各科目の「1　目標」を参考にしつつ，必要に応じて，改善等通知別紙 5 に示された評価の観点の趣旨のうち「主体的に学習に取り組む態度」に関わる部分を用いて「内容のまとまりごとの評価規準」を作成する必要がある。報告にあるとおり，「主体的に学習に取り組む態度」は，現行の「関心・意欲・態度」の観点の本来の趣旨であった，各教科等の学習内容に関心をもつことのみならず，よりよく学ぼうとする意欲をもって学習に取り組む

---

[18] 特別活動については，平成 30 年改訂学習指導要領を受け，初めて作成するものである。

態度を評価することを改めて強調するものである。また，本観点に基づく評価としては，「主体的に学習に取り組む態度」に係る各教科等の評価の観点の趣旨に照らし，

　① 知識及び技能を獲得したり，思考力，判断力，表現力等を身に付けたりすることに向けた粘り強い取組を行おうとする側面と，

　② ①の粘り強い取組を行う中で，自らの学習を調整しようとする側面，

という二つの側面を評価することが求められるとされた[19]。

　以上の点から，今回の改善等通知で示した「主体的に学習に取り組む態度」の「各教科等の評価の観点の趣旨」は，平成 22 年通知で示した「関心・意欲・態度」の「各教科等の評価の観点の趣旨」から改められている。

---

[19] 脚注 11 を参照

第２編

「内容のまとまりごとの評価規準」
を作成する際の手順

総合的な探究の時間における評価を行うに当たって

基本的な考え方

　報告において，「よりよい学校教育がよりよい社会をつくる」という理念を共有し，学校と社会との連携・協働を求める「社会に開かれた教育課程」の実現に向けて，変化の激しいこれからの社会を生きる子供たちに必要な資質・能力を整理した上で，その育成に向けた教育内容，学習・指導の改善，児童生徒の発達を踏まえた指導，学習評価の在り方など，学習指導要領等の改善に向けた基本的な考え方が示された。また，新しい学習指導要領等の下での各学校における教育課程の編成，実施，評価，改善の一連の取組が，授業改善を含めた学校の教育活動の質の向上につながるものとして組織的，計画的に展開されるよう，各学校におけるカリキュラム・マネジメントの確立を求めている。

　この報告を受け，改善等通知では，「この時間に行った学習活動及び各学校が自ら定めた評価の観点を記入した上で，それらの観点のうち，生徒の学習状況に顕著な事項がある場合などにその特徴を記入する等，生徒にどのような力が身に付いたかを文章で端的に記述する。」としている。また，評価の観点については，「高等学校学習指導要領等に示す総合的な探究の時間の目標を踏まえ，各学校において具体的に定めた目標，内容に基づいて別紙5を参考に定める。」とし，「評価の観点及びその趣旨」として以下の表を示した。

＜高等学校　総合的な探究の時間の記録＞

観点	知識・技能	思考・判断・表現	主体的に学習に取り組む態度
趣旨	探究の過程において，課題の発見と解決に必要な知識及び技能を身に付け，課題に関わる概念を形成し，探究の意義や価値を理解している。	実社会や実生活と自己との関わりから問いを見いだし，自分で課題を立て，情報を集め，整理・分析して，まとめ・表現している。	探究に主体的・協働的に取り組もうとしているとともに，互いのよさを生かしながら，新たな価値を創造し，よりよい社会を実現しようとしている。

従前の評価の観点の例示とその考え方

　これまで総合的な学習の時間の評価の観点については，総合的な学習の時間の目標を踏まえ，各学校において具体的に定めた目標，内容に基づいて定めることとされ，次のような例示を参考にするなどして設定されてきた。

【総合的な学習の時間の目標（第1の目標）を踏まえた評価の観点の例】

第1　目標
　横断的・総合的な学習や探究的な学習を通して，自ら課題を見付け，自ら学び，自ら考え，主体的に判断し，よりよく問題を解決する資質や能力を育成するとともに，学び方やものの考え方を身に付け，問題の解決や探究活動に主体的，創造的，協同的に取り組む態度を育て，自己の生き方を考えることができるようにする。

観点例	よりよく問題を解決する資質や能力	学び方やものの考え方	主体的,創造的,協同的に取り組む態度	自己の生き方

【学習指導要領に示された視点（第3の1(4)）を踏まえた評価の観点の例】

第3の1(4)
　育てようとする資質や能力及び態度については，例えば，学習方法に関すること，自分自身に関すること，他者や社会とのかかわりに関することなどの視点を踏まえること。

観点例	課題設定の力 （学習方法）	情報収集の力 （学習方法）	将来設計の力 （自分自身）	社会参画の力 （他者や社会との関わり）

【各教科の観点との関連を明確にした評価の観点の例】

観点例	関心・意欲・態度	思考・判断・表現	技能	知識・理解

今回改訂における評価の観点の考え方

　今回の学習指導要領改訂では，各教科・科目等の目標や内容を「知識及び技能」「思考力，判断力，表現力等」「学びに向かう力，人間性等」の資質・能力の三つの柱で再整理しているが，このことは総合的な探究の時間においても同様である。それは，高等学校学習指導要領第4章第2の3の(6)において，探究課題の解決を通して育成を目指す具体的な資質・能力については，

　ア　知識及び技能については，他教科等及び総合的な探究の時間で習得する知識及び技能が相互に関連付けられ，社会の中で生きて働くものとして形成されるようにすること。

　イ　思考力，判断力，表現力等については，課題の設定，情報の収集，整理・分析，まとめ・表現などの探究の過程において発揮され，未知の状況において活用できるものとして身に付けられるようにすること。

　ウ　学びに向かう力，人間性等については，自分自身に関すること及び他者や社会との関わりに関することの両方の視点を踏まえること。

に配慮するとされたことからも明らかである。

　総合的な探究の時間においては，学習指導要領が定める目標を踏まえて各学校が目標や内容を設定するという総合的な探究の時間の特質から，各学校が観点を設定するという枠組みが維持されているが，資質・能力の三つの柱で再整理した新学習指導要領の下での指導と評価の一体化を推進するためにも，評価の観点についてこれらの資質・能力に関わる「知識・技能」，「思考・判断・表現」，「主体的に学習に取り組む態度」の3観点に整理し示したところである。

　なお，指導要録については，「学習活動」及び「評価」に「評価の観点」を加えた三つの欄で構成した新たな参考様式を示した。総合的な探究の時間の記録については，この時間に行った学習活動及び評価の観点を記入した上で，それらの観点のうち，生徒の学習状況に顕著な事項がある場合などにその特徴を記入する等，生徒にどのような力が身に付いたかを文章で記述する。

1　総合的な探究の時間における「内容のまとまり」

　学習指導要領には，各教科・科目等のようにどの学年で何を指導するのかという内容を明示していないため，各学校においては，学習指導要領が定める目標を踏まえ，各学校の総合的な探究の時間の内容を定めることになる。これは，各学校が，学習指導要領が定める目標の趣旨を踏まえ定めた目標の下で，地域や学校，生徒の実態に応じて，創意工夫を生かした内容を定めることが期待されているからである。

　今回の改訂において，総合的な探究の時間については，内容の設定に際し，「目標を実現するにふさわしい探究課題」，「探究課題の解決を通して育成を目指す具体的な資質・能力」の二つを定めることが示された。

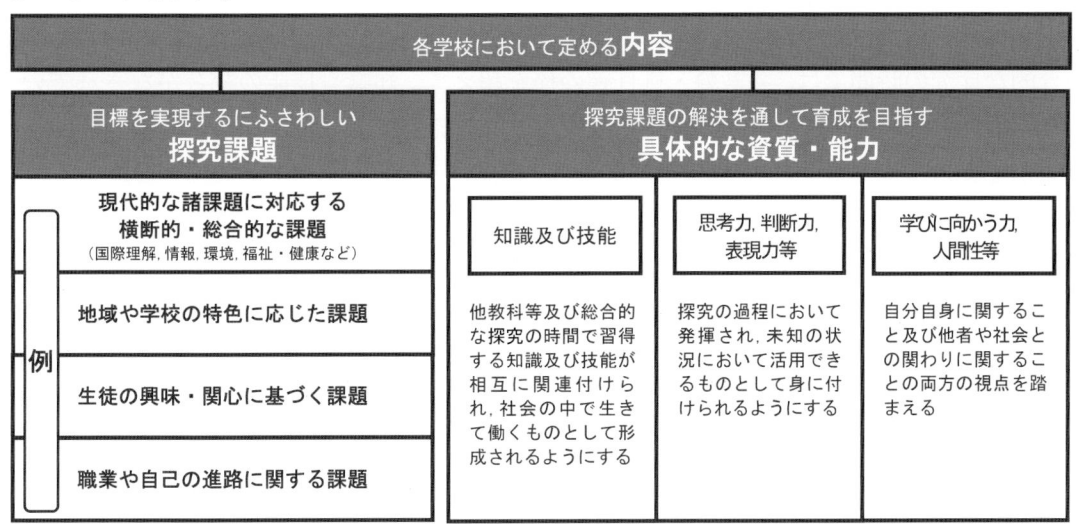

（高等学校学習指導要領解説　P.21）

【目標を実現するにふさわしい探究課題（例）】

　目標を実現するにふさわしい探究課題とは，目標の実現に向けて学校として設定した，生徒が探究に取り組む課題であり，従来「学習対象」として説明されてきたものに相当する。つまり，探究課題とは，探究的に関わりを深める人・もの・ことを示したものである。

　具体的には，例えば「自然環境とそこに起きているグローバルな環境問題」，「地域の伝統や文化とその継承に取り組む人々や組織」，「職業の選択と社会貢献及び自己実現」などが考えられる。

四つの課題	探究課題の例
横断的・総合的な課題（現代的な諸課題）	外国人の生活者とその人たちの多様な価値観（国際理解） 情報化の進展とそれに伴う経済生活や消費行動の変化（情報） 自然環境とそこに起きているグローバルな環境問題（環境） 高齢者の暮らしを支援する福祉の仕組みや取組（福祉） 心身の健康とストレス社会の問題（健康） 社会生活の変化と資源やエネルギーの問題（資源エネルギー） 食の問題とそれに関わる生産・流通過程と消費行動（食） 科学技術の発展と社会生活や経済活動の変化（科学技術） など
地域や学校の特色に応じた課題	地域活性化に向けた特色ある取組（町づくり） 地域の伝統や文化とその継承に取り組む人々や組織（伝統文化） 商店街の再生に向けて努力する人々と地域社会（地域経済） 安全な町づくりに向けた防災計画の策定（防災） など
生徒の興味・関心に基づく課題	文化や流行の創造や表現（文化の創造） 変化する社会と教育や保育の質的転換（教育・保育） 生命の尊厳と医療や介護の現実（生命・医療） など
職業や自己の進路に関する課題	職業の選択と社会貢献及び自己実現（職業） 働くことの意味や価値と社会的責任（勤労） など

（高等学校学習指導要領解説　P.90）

【探究課題の解決を通して育成を目指す具体的な資質・能力】

　探究課題の解決を通して育成を目指す具体的な資質・能力とは，各学校において定める目標に記された資質・能力を各探究課題に即して具体的に示したものであり，生徒が各探究課題の解決に取り組む中で，教師の適切な指導により実現を目指す資質・能力のことである。資質・能力の三つの柱に沿って明らかにしていくことが求められる。

（1）知識及び技能

　探究の過程において，それぞれの課題についての事実的知識や技能が獲得される。この「知識及び技能」は，各学校が設定する内容に応じて異なることが考えられる。一方，事実的知識は探究のプロセスが繰り返され，連続していく中で，何度も活用され発揮されていくことで，構造化され生きて働く概念的な知識へと高まっていく。また，技能についても，何度も活用され発揮されていくことで，自在に活用できる技能として身に付いていく。

　総合的な探究の時間では，各教科・科目等の枠を超えて，知識や技能の統合がなされていくことにより，概念的な知識については，教科や分野などを越えて，より一般化された概念的なものを学ぶことができる。

（2）思考力，判断力，表現力等

　「思考力，判断力，表現力等」の育成については，課題の発見と解決に向けて行われる横断的・総合的な学習や探究において，①課題の設定，②情報の収集，③整理・分析，④まとめ・表現の探究のプロセスが繰り返され，連続することによって実現される。この探究の過程では，「探究の見方・考え方」を働かせながら，それぞれのプロセスで期待される資質・能力が育成される。

　この資質・能力については，これまで各学校で設定する「育てようとする資質や能力及び態度」の視点として「学習方法に関すること」としていたことに対応している。

（3）学びに向かう力，人間性等

　「学びに向かう力，人間性等」は，自分自身に関すること及び他者や社会との関わりに関することの両方の視点を踏まえることと示されている。自分自身に関することとしては，主体性や自己理解，社会参画などに関わる心情や態度，他者や社会との関わりに関することとしては，協働性，他者理解，社会貢献などに関わる心情や態度が考えられる。

　一方，自分自身に関することと他者や社会との関わりに関することとは截然と区別されるものではなく，例えば，社会に参画することや社会への貢献のように，それぞれは，積極的に社会参画をしていこうという態度を育むという意味においては他者や社会との関わりに関することであるが，探究を通して学んだことと自己理解とを結び付けながら自分の将来や進路について夢や希望をもとうとすることは，自分自身に関することとも深く関わることであると考えることもできる。

　以上のように，総合的な探究の時間の「内容のまとまり」は，目標を実現するにふさわしい探究課題と，探究課題の解決を通して育成を目指す具体的な資質・能力の二つによって構成される。両者の関係については，目標の実現に向けて，生徒が「何について学ぶか」を表したものが探究課題であり，各探究課題との関わりを通して，具体的に「どのようなことができるようになるか」を明らかにしたものが具体的な資質・能力という関係になる。

　本参考資料第１編第２章の１（2）では，「内容のまとまり」について，学習指導要領に示す各教

科等の「第2 各学年の目標及び内容 2 内容」の項目等をそのまとまりごとに細分化したり整理したりしたもので,「内容のまとまり」ごとに育成を目指す資質・能力が示されている,と説明されている。

したがって,総合的な探究の時間における「内容のまとまり」とは,一つ一つの探究課題とその探究課題に応じて定めた具体的な資質・能力と考えることができる。

2 総合的な探究の時間における「内容のまとまりごとの評価規準」作成の基本的な手順

「内容のまとまりごとの評価規準」は,第1編に示した基本的な手順を踏まえ,各教科等の特質に応じた形で作成する。各教科等の特質に応じた「内容のまとまりごとの評価規準」作成の具体的な手順については,次ページ以降に記載している。

① 各学校において定めた目標（第2の1）と「評価の観点及びその趣旨」を確認する。

② 各学校において定めた内容の記述（「内容のまとまり」として探究課題ごとに作成した「探究課題の解決を通して育成を目指す具体的な資質・能力」）が,観点ごとにどのように整理されているかを確認する。

③【観点ごとのポイント】を踏まえ,「内容のまとまりごとの評価規準」を作成する。

3　総合的な探究の時間における「内容のまとまりごとの評価規準」作成の手順

＜例＞

【高等学校学習指導要領　第4章　総合的な探究の時間「第1　目標」】

　探究の見方・考え方を働かせ，横断的・総合的な学習を行うことを通して，自己の在り方生き方を考えながら，よりよく課題を発見し解決していくための資質・能力を次のとおり育成することを目指す。

目標	（1）	（2）	（3）
	探究の過程において，課題の発見と解決に必要な知識及び技能を身に付け，課題に関わる概念を形成し，探究の意義や価値を理解するようにする。	実社会や実生活と自己との関わりから問いを見いだし，自分で課題を立て，情報を集め，整理・分析して，まとめ・表現することができるようにする。	探究に主体的・協働的に取り組むとともに，互いのよさを生かしながら，新たな価値を創造し，よりよい社会を実現しようとする態度を養う。

(高等学校学習指導要領 P.475)

【改善等通知　別紙5　2．総合的な探究の時間の記録】

観点	知識・技能	思考・判断・表現	主体的に学習に取り組む態度
趣旨	探究の過程において，課題の発見と解決に必要な知識及び技能を身に付け，課題に関わる概念を形成し，探究の意義や価値を理解している。	実社会や実生活と自己との関わりから問いを見いだし，自分で課題を立て，情報を集め，整理・分析して，まとめ・表現している。	探究に主体的・協働的に取り組もうとしているとともに，互いのよさを生かしながら，新たな価値を創造し，よりよい社会を実現しようとしている。

(改善等通知　別紙5　P.18)

【A高等学校の例】

> ① 各学校において定めた目標（第2の1）と「評価の観点及びその趣旨」を確認する。

【学校において定めた総合的な探究の時間の目標】

　探究の見方・考え方を働かせ，地域や社会の人，もの，ことに関わる総合的な学習を通して，自己の在り方生き方を考えながら，適切で論理的な課題の発見と解決ができるようにするために，以下の資質・能力を育成する。

	（1）	（2）	（3）
目標	地域や社会の人，もの，ことに関わる探究の過程において，課題の解決に必要な知識及び技能を身に付けるとともに，地域や社会の特徴やよさに気付き，それらが人々の関わりや協働によって支えられていることに気付く。	地域や社会の人，もの，ことと自分自身との関わりから問いを見いだし，その解決に向けて仮説を立てたり，調査して得た情報を基に分析したりする力を身に付けるとともに，論理的にまとめ・表現する力を身に付ける。	地域や社会の人，もの，ことについての探究活動に主体的・協働的に取り組むとともに，互いのよさを生かしながら，持続可能な社会を実現するために行動し，社会に貢献しようとする態度を育てる。

　　　　　　　（高等学校学習指導要領解説総合的な探究の時間編　P.83〜84を参考に例示）

※各学校においては，以下に留意して，各学校における総合的な探究の時間の目標を定める。
　・「第1の目標」を踏まえる。〔第2の1〕
　・各学校における教育目標を踏まえ，育成を目指す資質・能力を示す。〔第2の3(1)〕
　・他教科等で育成を目指す資質・能力との関連を重視する。〔第2の3(2)〕
　・地域や社会との関わりを重視する。〔第2の3(3)〕

観点	知識・技能	思考・判断・表現	主体的に学習に取り組む態度
趣旨	地域や社会の人，もの，ことに関わる探究の過程において，課題の解決に必要な知識及び技能を身に付けるとともに，地域や社会の特徴やよさに気付き，それらが人々の関わりや協働によって支えられていることに気付いている。	地域や社会の人，もの，ことと自分自身との関わりから問いを見いだし，その解決に向けて仮説を立てたり，調査して得た情報を基に分析したりする力を身に付けるとともに，論理的にまとめ・表現する力を身に付けている。	地域や社会の人，もの，ことについての探究活動に主体的・協働的に取り組もうとしているとともに，互いのよさを生かしながら，持続可能な社会を実現するために行動し，社会に貢献しようとしている。

【学校において定めた総合的な探究の時間評価の観点の趣旨】

※ 「知識・技能」の観点の趣旨の作成

　　学校において定めた目標のうち(1)の文末を「～について理解している」，「～を身に付けている」などとして設定することが考えられる。

※ 「思考・判断・表現」の観点の趣旨の作成

　　学校において定めた目標のうち(2)の文末を「～している」として設定することが考えられる。

※ 「主体的に学習に取り組む態度」の観点の趣旨の作成

　　学校において定めた目標のうち(3)の文末を「～しようとしている」として設定することが考えられる。

> ②　各学校において定めた内容の記述（「内容のまとまり」として探究課題ごとに作成した「探究課題の解決を通して育成を目指す具体的な資質・能力」）が，観点ごとにどのように整理されているかを確認する。

※　総合的な探究の時間における「内容のまとまり」とは，一つ一つの探究課題とその探究課題に応じて定めた具体的な資質・能力と考えることができる。これらを踏まえて，次の③の手順で「内容のまとまりごとの評価規準」を作成できる。

【内容のまとまり（A高等学校第2学年の例）】

目標を実現するにふさわしい探究課題	探究課題の解決を通して育成を目指す具体的な資質・能力		
	知識及び技能	思考力，判断力，表現力等	学びに向かう力，人間性等
自然環境とそこに起きているグローバルな環境問題	・自然環境は人間の生活の変化とともに変わるものであること，持続可能な環境の実現には国境を超えた多様な問題が存在していることや問題解決に向けて取り組む人々や国内外の組織があることを理解する。 ・調査活動を，目的や対象に応じた適切さで，正確かつ安定的に実施することができる。 ・持続可能な環境の実現に関する理解は，グローバルな視点で自然環境とそこに関わる多様な人々や国内外の組織との関係を探究してきたことの成果であることに気付く。	・自然環境への関わりを通して課題をつくり，その解決に向けて仮説を立て，検証方法を考え，計画を立案することができる。 ・課題の解決に必要な情報を，目的に応じた手段を選択して収集し，類別して蓄積することができる。 ・環境問題の事実や関係を整理し，事象を比較したり，因果関係を推測したりして分析することができる。 ・相手や目的，意図に応じて，論理的に表現し，学習活動を振り返って，学習や生活に生かすことができる。	・探究を通して，自分の個性や特徴を見つめながら，多様な意見を受け入れ尊重しようとする。 ・自分の意思で課題に向き合い，自他のよさを認めながら，協働的に課題を解決しようとする。 ・自己の在り方生き方を考え，社会の形成者としての自覚をもって，持続可能な環境づくりに貢献しようとする。

③ 【観点ごとのポイント】を踏まえ，「内容のまとまりごとの評価規準」を作成する。

（1）「内容のまとまりごとの評価規準」を作成する際の【観点ごとのポイント】

○ 「知識・技能」のポイント
　・②の「知識及び技能」において記載事項の文末を，例えば「理解する」から「理解している」などとすることにより，「内容のまとまり」に対応する評価規準を作成することが可能である。

○ 「思考・判断・表現」のポイント
　・②の「思考力，判断力，表現力等」において記載事項の文末を，例えば「できる」から「している」などとすることにより，「内容のまとまり」に対応する評価規準を作成することが可能である。

○ 「主体的に学習に取り組む態度」のポイント
　・②の「学びに向かう力，人間性等」において記載事項の文末を，例えば「しようとする」から「しようとしている」などとすることにより，「内容のまとまり」に対応する評価規準を作成することが可能である。

（2）「内容のまとまり」と「内容のまとまりごとの評価規準」の作成例

目標を実現するにふさわしい探究課題	探究課題の解決を通して育成を目指す具体的な資質・能力		
	知識及び技能	思考力，判断力，表現力等	学びに向かう力，人間性等
自然環境とそこに起きているグローバルな環境問題	・自然環境は人間の生活の変化とともに変わるものであること，持続可能な環境の実現には国境を超えた多様な問題が存在していることや問題解決に向けて取り組む人々や国内外の組織があることを理解する。 ・調査活動を，目的や対象に応じた適切さで，正確かつ安定的に実施することができる。 ・持続可能な環境の実現に関する理解は，グローバルな視点で自然環境とそこに関わる多様な人々や国内外の組織との関係を探究してきたことの成果であることに気付く。	・自然環境への関わりを通して課題をつくり，その解決に向けて仮説を立て，検証方法を考え，計画を立案することができる。 ・課題の解決に必要な情報を，目的に応じた手段を選択して収集し，類別して蓄積することができる。 ・環境問題の事実や関係を整理し，事象を比較したり，因果関係を推測したりして分析することができる。 ・相手や目的，意図に応じて，論理的に表現し，学習活動を振り返って，学習や生活に生かすことができる。	・探究を通して，自分の個性や特徴を見つめながら，多様な意見を受け入れ尊重しようとする。 ・自分の意思で課題に向き合い，自他のよさを認めながら，協働的に課題を解決しようとする。 ・自己の在り方生き方を考え，社会の形成者としての自覚をもって，持続可能な環境づくりに貢献しようとする。

内容のまとまりごとの評価規準

探究課題	評価の観点		
	知識・技能	思考・判断・表現	主体的に学習に取り組む態度
自然環境とそこに起きているグローバルな環境問題	・自然環境は人間の生活の変化とともに変わるものであること，持続可能な環境の実現には国境を超えた多様な問題が存在していることや問題解決に向けて取り組む人々や国内外の組織があることを理解している。 ・調査活動を，目的や対象に応じた適切さで，正確かつ安定的に実施している。 ・持続可能な環境の実現に関する理解は，グローバルな視点で自然環境とそこに関わる多様な人々や国内外の組織との関係を探究してきたことの成果であることに気付いている。	・自然環境への関わりを通して課題をつくり，その解決に向けて仮説を立て，検証方法を考え，計画を立案している。 ・課題の解決に必要な情報を，目的に応じた手段を選択して収集し，類別して蓄積している。 ・環境問題の事実や関係を整理し，事象を比較したり，因果関係を推測したりして分析している。 ・相手や目的，意図に応じて，論理的に表現し，学習活動を振り返って，学習や生活に生かしている。	・探究を通して，自分の個性や特徴を見つめながら，多様な意見を受け入れ尊重しようとしている。 ・自分の意思で課題に向き合い，自他のよさを認めながら，協働的に課題を解決しようとしている。 ・自己の在り方生き方を考え，社会の形成者としての自覚をもって，持続可能な環境づくりに貢献しようとしている。

第３編

単元ごとの学習評価について

（事例）

第1章 「内容のまとまりごとの評価規準」の考え方を踏まえた単元の評価規準の作成

1 本編事例における学習評価の進め方について

　単元における観点別学習状況の評価を実施するに当たり，まずは年間の指導と評価の計画を確認することが重要である。その上で，学習指導要領の目標や内容，「内容のまとまりごとの評価規準」の考え方等を踏まえ，以下のように進めることが考えられる。なお，複数の単元にわたって評価を行う場合など，以下の方法によらない事例もあることに留意する必要がある。

評価の進め方	留意点
1 **単元の目標を作成する**	○　学校において定める総合的な探究の時間の内容をよりどころとして，中核となる学習活動をもとに，どのような学習を通して，どのような資質・能力を育成することを目指すのかを明確にして単元の目標を作成する。
2 **単元の評価規準を作成する**	○　単元の目標を踏まえ，具体的な学習活動を視野に入れ「単元の評価規準」を作成する。 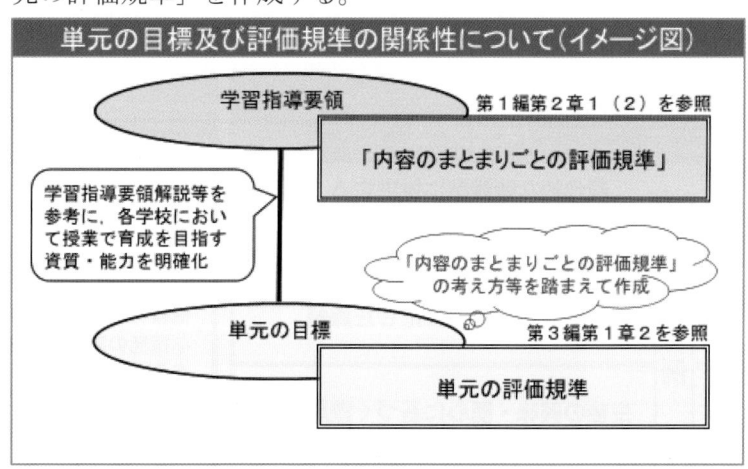
3 **「指導と評価の計画」** **を作成する**	○　1，2を踏まえ，具体的な学習活動に沿って，評価場面や評価方法等を計画する。 ○　どのような評価資料をもとに評価するかを考え，その結果をもとに指導する具体的な手立てを明らかにする。
	○　3を踏まえて評価を行い，生徒の学習改善や教師の指導改善につなげる。
4 **総括する**	○　活動や学習の過程，作品や成果物，発表や討論などに見られる学習の状況や成果などについて，生徒のよい点，学習に対する意欲や態度，進歩の状況などを踏まえて，評価結果を総括する。

2　単元の評価規準の作成のポイント

（1）総合的な探究の時間における単元及び単元の目標

　総合的な探究の時間は,学習指導要領には他の教科等のように,内容を明示していない。各学校は,学習指導要領が定める目標を踏まえ,総合的な探究の時間の内容を定めることとされている。

　総合的な探究の時間における内容は,目標を実現するにふさわしい探究課題と,探究課題の解決を通して育成を目指す具体的な資質・能力の二つによって構成される。両者の関係については,目標の実現に向けて,生徒が「何について学ぶか」を表したものが探究課題であり,各探究課題との関わりを通して,具体的に「どのようなことができるようになるか」を明らかにしたものが具体的な資質・能力という関係になる。（表１）。

表１　総合的な探究の時間における内容

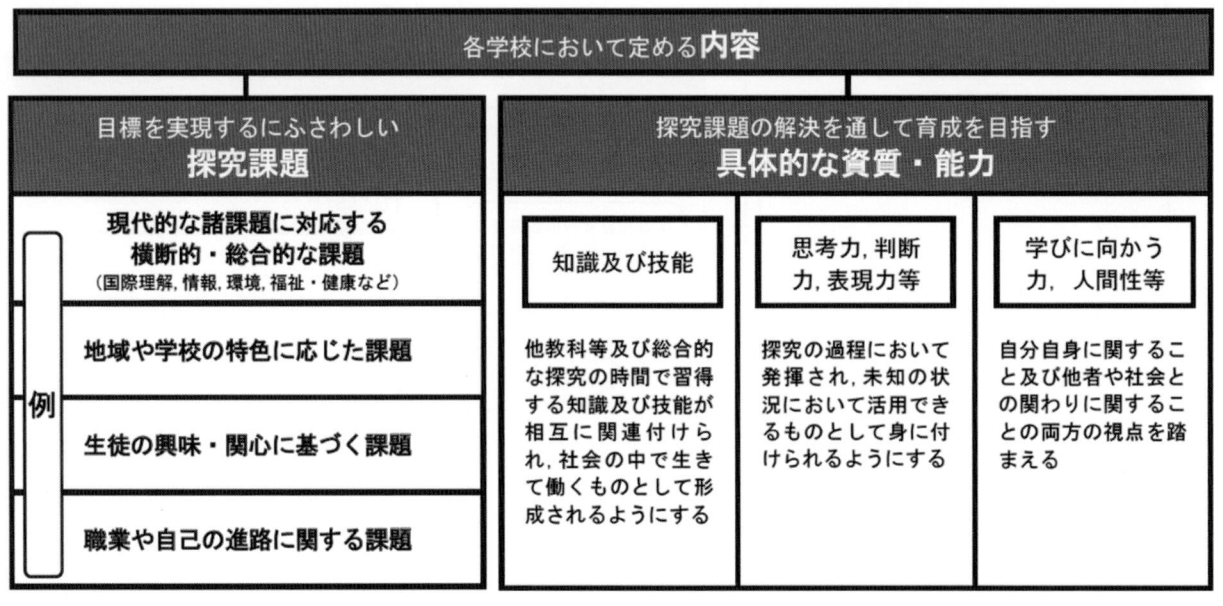

　総合的な探究の時間における「内容のまとまり」とは,全体計画に示した「目標を実現するにふさわしい探究課題」のうち,一つ一つの探究課題とその探究課題に応じて定めた具体的な資質・能力と考えることができる。

　この「内容のまとまり」を踏まえて,教師が意図やねらいをもって作成するのが単元の計画である。この単元は,課題の解決や探究活動が発展的に繰り返される一連の学習活動のまとまりとして構成される。

　単元の目標は,どのような学習活動を通して,生徒にどのような資質・能力を育成することを目指すのかを明確に示したものであり,「内容のまとまり」を視野に入れ,中核となる学習活動を基に設定する。

（２）単元の目標及び単元の評価規準の作成

単元の目標及び単元の評価規準は，以下の手順で作成する。

※「内容のまとまり」から「内容のまとまりごとの評価規準」を作成する手順は，P.37～P.38 参照。

〔単元の目標及び単元の評価規準を作成する手順〕
① 「内容のまとまり」をもとに，単元全体を見通して，単元の目標を作成する。
② 「内容のまとまりごとの評価規準」をもとに，具体的な学習活動から目指すべき学習状況としての生徒の姿を想定し，単元の評価規準を作成する。

（例）第2学年　環境に関する「内容のまとまり」をもとに作成した例

① 「内容のまとまり」をもとに，単元全体を見通して，単元の目標を作成する。

内容のまとまり			
目標を実現するにふさわしい探究課題	探究課題の解決を通して育成を目指す具体的な資質・能力		
	知識及び技能	思考力，判断力，表現力等	学びに向かう力，人間性等
グローバルな環境問題 自然環境とそこに起きている	・自然環境は人間の生活の変化とともに変わるものであること，持続可能な環境の実現には国境を超えた多様な問題が存在していることや問題解決に向けて取り組む人々や国内外の組織があることを理解する。 ・調査活動を，目的や対象に応じた適切さで，正確かつ安定的に実施することができる。 ・持続可能な環境の実現に関する理解は，グローバルな視点で自然環境とそこに関わる多様な人々や国内外の組織との関係を探究してきたことの成果であることに気付く。	・自然環境への関わりを通して課題をつくり，その解決に向けて仮説を立て，検証方法を考え，計画を立案することができる。 ・課題の解決に必要な情報を，目的に応じた手段を選択して収集し，類別して蓄積することができる。 ・環境問題の事実や関係を整理し，事象を比較したり，因果関係を推測したりして分析することができる。 ・相手や目的，意図に応じて，論理的に表現し，学習活動を振り返って，学習や生活に生かすことができる。	・探究を通して，自分の個性や特徴を見つめながら，多様な意見を受け入れ尊重しようとする。 ・自分の意思で課題に向き合い，自他のよさを認めながら，協働的に課題を解決しようとする。 ・自己の在り方生き方を考え，社会の形成者としての自覚をもって，持続可能な環境づくりに貢献しようとする。

〔単元の目標〕
　自分が暮らす○○市の 20 年後の予想される姿を予測する活動を通して，ァ この先の自然環境は人々の生活の在り方と深く関わっていることを理解しィ，自然環境と人間生活がともに豊かになるための行動の在り方について考えるゥとともに，持続可能な環境づくりに貢献しようとすることができるェようにする。

※　この例では，「内容のまとまり」をもとに単元全体を見通して，総括的に目標を示すとともに，以下の4つの要素を構造的に配列し，単元の目標を作成している。
　ア　探究課題を踏まえた単元において中心となる学習対象や学習活動
　イ　育成を目指す具体的な資質・能力のうち，単元において重視する「知識及び技能」
　ウ　育成を目指す具体的な資質・能力のうち，単元において重視する「思考力，判断力，表現力等」
　エ　育成を目指す具体的な資質・能力のうち，単元において重視する「学びに向かう力，人間性等」
※　イ～エは，アとの関わりにおいて作成する。

第3編

② 「内容のまとまりごとの評価規準」をもとに，具体的な学習活動から目指すべき学習状況としての生徒の姿を想定し，単元の評価規準を作成する。

探究課題	内容のまとまりごとの評価規準		
	評価の観点		
	知識・技能	思考・判断・表現	主体的に学習に取り組む態度
自然環境とそこに起きているグローバルな環境問題	・自然環境は人間の生活の変化とともに変わるものであること，持続可能な環境の実現には国境を超えた多様な問題が存在していることや問題解決に向けて取り組む人々や国内外の組織があることを理解している。 ・調査活動を，目的や対象に応じた適切さで，正確かつ安定的に実施している。 ・持続可能な環境の実現に関する理解は，グローバルな視点で自然環境とそこに関わる多様な人々や国内外の組織との関係を探究してきたことの成果であることに気付いている。	・自然環境への関わりを通して課題をつくり，その解決に向けて仮説を立て，検証方法を考え，計画を立案している。 ・課題の解決に必要な情報を，目的に応じた手段を選択して収集し，類別して蓄積している。 ・環境問題の事実や関係を整理し，事象を比較したり，因果関係を推測したりして分析している。 ・相手や目的，意図に応じて，論理的に表現し，学習活動を振り返って，学習や生活に生かしている。	・探究を通して，自分の個性や特徴を見つめながら，多様な意見を受け入れ尊重しようとしている。 ・自分の意思で課題に向き合い，自他のよさを認めながら，協働的に課題を解決しようとしている。 ・自己の在り方生き方を考え，社会の形成者としての自覚をもって，持続可能な環境づくりに貢献しようとしている。

単元名	単元の評価規準		
	評価の観点		
	知識・技能	思考・判断・表現	主体的に学習に取り組む態度
持続可能な〇〇市の未来を創ろう	①地球規模の環境は，環境問題の解決を国内外の組織が一体となり国や民族，宗教等を超えて進められてきた結果であること，自分自身を含めて全ての人が関わって解決していくことが重要であることを理解している。 ②持続可能な環境に関する国際的な調査結果を，目的に応じた適切さで正確に収集している。 ③持続可能な〇〇市の未来の環境づくりに関する理解は，自らの課題意識のなかで探究してきたことの成果であることに気付いている。	①〇〇市の自然環境の歴史的変遷に関する調査活動を通して，現在の環境における問題を明らかにし，未来のよりよい環境に向けて，仮説をもとに見通しをもって計画している。 ②〇〇市の環境に関する意識を捉えるために必要な情報を，目的に応じて効果的な手段を選択しながら収集している。 ③収集した情報を自然と社会の視点で比較・分類するとともに，「実効性のある取組」，「持続可能な取組」などの根拠に基づき，行動する方向を明らかにしている。 ④持続可能な 20 年後の環境の実現に向けた自己の取組について，目的や対象に応じて提言内容を効果的に表現している。	①期待する未来の環境づくりに向けた自己の取組の特徴を理解するとともに，自らの意思で探究に取り組もうとしている。 ②市民の納得や協力を得るための実効性のある取組に向け，自他の考えを生かしながら，協働して取り組もうとしている。 ③持続可能な自然環境を次世代につなぐために，自らが当事者であることの自覚をもって，グローバルな視点に立って環境づくりに貢献し続けようとしている。

育成を目指す資質・能力を踏まえた「単元の評価規準」の作成のポイント

　「単元の評価規準」を作成するに当たっては，「内容のまとまりごとの評価規準」を参考にすることが考えられる。作成する際には，単元で行う学習活動やどのような資質・能力を重視するかによって具体的に記述することが求められる。その際，観点毎に次のポイントを参考にして作成することが考えられる。なお，「単元の評価規準」の指導計画への位置付けについては，総括的な評価を行うためにも，生徒の姿となって表れやすい場面，全ての生徒を見取りやすい場面を選定することが大切である。

　なお，ここにおいて示した「単元の評価規準」の作成のポイントについては，「高等学校学習指導要領解説　総合的な探究の時間編（平成 30 年 7 月）」15〜20 頁，90〜95 頁も参考にしてほしい。

（1）知識・技能

　「知識・技能」の観点については，「①概念的な知識の獲得」，「②自在に活用することが可能な技能の獲得」「③探究の意義や価値の理解」の三つに関する評価規準を作成することが考えられる。

① **知識**については，事実に関する知識を関連付けて構造化し，統合された概念として形成されることが期待されている。したがって，概念的な知識を獲得している生徒の姿を評価規準として設定することが考えられる。例えば，「地球規模の環境は，環境問題の解決を国内外の組織が一体となり国や民族，宗教等を超えて進められてきた結果であること，自分自身を含めて全ての人が関わって解決していくことが重要であることを理解している」のように，相互性に関する概念的な知識の獲得として評価規準を設定することが考えられる。

② **技能**については，手順に関する知識を関連付けて構造化し，特定の場面や状況だけではなく日常の様々な場面や状況で活用可能な技能として身に付けることが期待されている。したがって，身に付いた技能が，いつでも，滑らかに，安定して，素早く行われているなどの生徒の姿を評価規準として設定することが考えられる。例えば，「持続可能な環境に関する国際的な調査結果を，対象に応じた適切さで正確に収集している」，「どのような情報端末からでも，検索ソフトを使って，正確に短い時間にたくさんの情報を収集している」，「WEBアンケートによる調査活動を，情報セキュリティに配慮して，回答フォームを作成して実施している」などとして評価規準を設定することが考えられる。

③ 総合的な探究の時間においては，①②とともに，**探究の意義や価値の理解**として，資質・能力の変容を自覚すること，学習対象に対する認識が高まること，学習が生活とつながること，探究を自律的に進めるようになることなどを，探究してきたことと結び付けて理解することが期待されている。したがって，探究の意義や価値を理解しているなどの生徒の姿を評価規準として設定することが考えられる。例えば，「持続可能な○○市の未来の環境づくりに関する理解は，自らの課題意識のなかで探究してきたことの成果であることに気付いている」のように，探究を自律的に進めてきたことの理解として評価規準を設定することが考えられる。

（2）思考・判断・表現

　「思考・判断・表現」の観点については，「①課題の設定」，「②情報の収集」，「③整理・分析」，「④まとめ・表現」の過程で育成される資質・能力を生徒の姿として示して，評価規準を作成することが考えられる。

① 「課題の設定」については，実社会や実生活に広がっている複雑な問題に向き合って，自らの力で解決の方向を明らかにし，見通しをもって計画的に取り組むことができるようになることが期待されている。

　評価規準の設定に当たっては，例えば，

・複雑な問題状況の中から適切に課題を設定する

・仮説を立て，検証方法を考え，計画を立案する

などの視点で設定することが考えられる。

② 「情報の収集」については，情報収集の手段を意図的・計画的に用いたり，解決の過程や結果を見通したりして，多様で効率的な情報収集が行われるようになることが期待されている。

　評価規準の設定に当たっては，例えば，

・目的に応じて手段を選択し，情報を収集する

・必要な情報を収集し，類別して蓄積する

などの視点で設定することが考えられる。

③ 「整理・分析」については，収集した情報を取捨選択すること，情報の傾向を見付けること，複数の情報を組み合わせて新しい関係を見いだすことなどが期待されている。

　評価規準の設定に当たっては，例えば，

・複雑な問題状況における事実や関係を把握し，自分の考えをもつ

・視点を定めて多様な情報を分析する

・課題解決を目指して事象を比較したり，因果関係を推測したりして考える

などの視点で設定することが考えられる。

④ 「まとめ・表現」については，整理・分析した結果や自分の考えをまとめたり他者に伝えたりすること，振り返ることで対象や自分自身に対する理解が深まることなどが期待されている。

　評価規準の設定に当たっては，例えば，

・相手や目的，意図に応じて論理的に表現する

・学習の仕方や進め方を振り返り，学習や生活に生かそうとする

などの視点で設定することが考えられる。

（3）　主体的に学習に取り組む態度

　今回の改訂において「主体的に学習に取り組む態度」の観点については，「粘り強さ」や「学習の調整」を重視することとしている。これらは，自他を尊重する「①自己理解・他者理解」，自ら取り組んだり力を合わせたりする「②主体性・協働性」，未来に向かって継続的に社会に関わろうとする「③将来展望・社会参画」などについて育成される資質・能力を生徒の姿として示して，評価規準を作成することが考えられる。

① 「自己理解・他者理解」については，例えば，

・探究を通して，自己を見つめ，自分の個性や特徴に向き合おうとする

・探究を通して，異なる多様な意見を受け入れ尊重しようとする

などの視点で設定することができる。

② 「主体性・協働性」については，例えば，

・自分の意思で真摯に課題に向き合い，解決に向けた探究に取り組もうとする

・自他のよさを認め特徴を生かしながら，協働して解決に向けた探究に取り組もうとする

などの視点で設定することができる。

③ 「将来展望・社会参画」については，例えば，

・探究を通して，自己の在り方生き方を考えながら，将来社会の理想を実現しようとする

・探究を通して，社会の形成者としての自覚をもって，社会に参画・貢献しようとする

などの視点で設定することができる。

（4） その他

「単元の評価規準」を作成するに当たっては，実際の学習活動や学習場面をイメージし，資質・能力を発揮する生徒の姿を想定することが大切である。その際，実際に行う学習活動や扱う学習対象と，発揮される資質・能力とを具体的に描くことが必要になる。

例えば，「〇〇市の自然環境の歴史的変遷に関する調査活動を通して，現在の環境における問題を明らかにし，未来のよりよい環境に向けて，仮説をもとに見通しをもって計画している」，「持続可能な20年後の環境の実現に向けた自己の取組について，目的や対象に応じて提言内容を効果的に表現している」などと設定することができる。ここでは，発揮される資質・能力を具体の活動や場面に即して具体的に描くことで，生徒の姿がどのような学習状況にあるのかを適切に判断し，確かに評価することを可能にしていく。

第２章　学習評価に関する事例について

1　事例の特徴

　第１編第１章２（４）で述べた学習評価の改善の基本的な方向性を踏まえつつ，平成30年に改訂された高等学校学習指導要領の趣旨・内容の徹底に資する評価の事例を示すことができるよう，本参考資料における事例は，原則として以下のような方針を踏まえたものとしている。

○　**単元に応じた評価規準の設定から評価の総括までとともに，生徒の学習改善及び教師の指導改善までの一連の流れを示している**

　本参考資料で提示する事例は，単元の評価規準の設定から評価の総括までとともに，評価結果を生徒の学習改善や教師の指導改善に生かすまでの一連の学習評価の流れを念頭においたものである（事例の一つは，この一連の流れを特に詳細に示している）。なお，観点別の学習状況の評価については，「おおむね満足できる」状況，「十分満足できる」状況，「努力を要する」状況と判断した生徒の具体的な状況の例などを示している。「十分満足できる」状況という評価になるのは，生徒が実現している学習の状況が質的な高まりや深まりをもっていると判断されるときである。

○　**観点別の学習状況について評価する時期や場面の精選について示している**

　報告や改善等通知では，学習評価については，日々の授業の中で生徒の学習状況を適宜把握して指導の改善に生かすことに重点を置くことが重要であり，観点別の学習状況についての評価は，毎回の授業ではなく原則として単元や題材など内容や時間のまとまりごとに，それぞれの実現状況を把握できる段階で行うなど，その場面を精選することが重要であることが示された。このため，観点別の学習状況について評価する時期や場面の精選について，「指導と評価の計画」の中で，具体的に示している。

○　**評価方法の工夫を示している**

　生徒の反応やノート，ワークシート，作品等の評価資料をどのように活用したかなど，評価方法の多様な工夫について示している。

2　各事例概要一覧と事例

事例1　キーワード　指導と評価の計画，三つの観点の評価，評価結果の総括，指導計画の評価・改善
「町民の健康寿命を延ばすために～地域住民と共に取り組めること～」

(第3学年「福祉」「健康」全35時間)

　探究課題を「町民の健康に関する問題と，健康寿命の改善に向けた具体的な取組」とした第3学年の実践を例に，指導と評価の計画の立案から評価の総括までを紹介する。

　本事例は，中心的な学習活動を，地域の高齢者の健康や福祉に関する問題と地域に対する自分たちの貢献とし，三つの小単元で構成しつつ小単元ごとの学習活動や学習場面において，資質・能力を発揮する生徒の姿を想定し，指導と評価の計画を構想した。また，指導と評価の計画に加えて，三つの評価の観点における学習活動と評価の実際，評価結果の総括，指導計画の評価・改善まで，一連の評価活動を取り上げることで，総合的な探究の時間における指導と評価の概要が把握できるようにした。

事例2　キーワード　指導と評価の計画，「知識・技能」の評価，生徒の学習の姿と見取り
「自己を探る～自分が社会とつながるために～」(第3学年「地域」「キャリア」全35時間)

　探究課題を「職業の選択と社会貢献及び自己実現」と設定し，それぞれの生徒が自分の課題を設定し，自己の在り方生き方を考えながら，総合的な探究の時間の集大成として取り組む第3学年の実践である。

　本事例は，中心的な学習活動を，地域のために自分は何ができるのかを考えていく活動とし，二つの小単元で構成した。評価の観点のうち「知識・技能」の評価を行うものとして紹介している。

事例3　キーワード　指導と評価の計画，「思考・判断・表現」の評価，生徒の学習の姿と見取り
「地域のプロフェッショナルと探究しよう」(第1学年「環境」「文化の創造」等全35時間)

　探究課題を生徒の多様な課題に対する意識をもとに，「自然環境とそこに起きているグローバルな環境問題」「文化や流行の創造や表現」等と設定し，その課題の解決に向けた探究を通して，それぞれの事象に内在する課題を客観的・科学的な視点で理解するとともに，統計的な分析や観察・実験から得られたデータを基に考え，今後の探究活動を見通したり自分の生活に生かしたりする第1学年の実践である。

　本事例は，中心的な学習活動を，地域の機関と連携して課題を解決する活動とし，三つの小単元で構成した。評価の観点のうち「思考・判断・表現」の評価を行うものとして紹介している。

事例4　キーワード　指導と評価の計画，「主体的に学習に取り組む態度」の評価，生徒の学習の姿と見取り
「つなぐつなげるプロジェクト～パンフェスの開催～」(第3学年「地域経済」全35時間)

　探究課題を「地域創生に向けて努力する人々と地域社会」と設定し，地域創生に向けて，社会の流れや経済活動との関連，ＳＤＧｓの理念などを理解する第3学年の実践である。

　本事例は，中心的な学習活動を，パンフェスの成功に向けて，一人一人が個別テーマを設定し，その実現に向けて取り組む活動とし，三つの小単元で構成した。評価の観点のうち「主体的に学習に取り組む態度」の評価を行うものとして紹介している。

第3編

総合的な探究の時間　　事例1

キーワード　指導と評価の計画，三つの観点の評価，評価結果の総括，指導計画の評価・
　　　　　　改善

単元名
町民の健康寿命を延ばすために 　～地域住民と共に取り組めること～ 　（第3学年）

内容のまとまり
「福祉」「健康」（全35時間）

　本単元は，過疎化・高齢化が進む地域で行われた実践である。町民の福祉は，多くの生徒の関心が高い地域課題である。しかし，生徒を対象にした意識調査によると，その改善に向けた具体的な取組については「行政に働きかける」，「高齢者と若者が交流をする」などのように，表面的な課題意識に留まっていた。

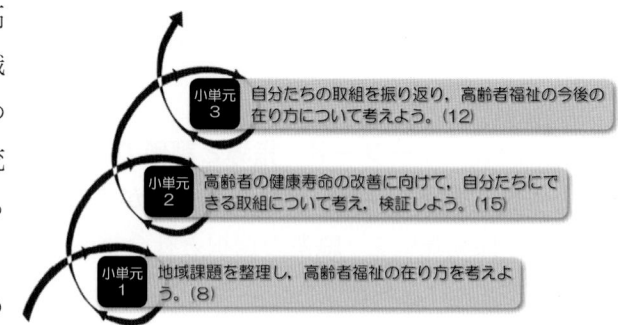

　こうした背景から，町民の暮らしや健康に対する現状や課題に目を向け，地域の高齢者が安心して健康に暮らすまちづくりに寄与することができる生徒を育んでいくことを目指し，「町民の健康に関する問題と，健康寿命の改善に向けた具体的な取組」という探究課題を踏まえて構想した単元である。

　生徒は，地域の高齢者に関する各種統計調査を調べた結果，町民の健康寿命が国内平均を下回っている現状に着目する。そして，「高齢者の健康寿命を延ばすために，何ができるだろうか」という問いに向き合う。本単元は，高齢者を含めた町民や介護施設職員，行政などとの関わりを通して，これからの地域に求められる福祉の実現に向けて取り組んだものである。

1　単元の目標

　町民の健康や福祉を向上するための活動を通して，わが町の福祉は様々な人や組織が関わり合って成り立っていることや，持続可能な取組を創造していくことの意義や価値について理解するとともに，健康寿命を延ばすための方策を科学的根拠に基づいて考察し，自他を尊重する精神をもちながら様々な世代が健康に暮らす社会を共に実現しようと行動できるようにする。

2　単元の評価規準

観点	知識・技能	思考・判断・表現	主体的に学習に取り組む態度
評価規準	①町民の健康や福祉の向上のために様々な人や組織が関わり合っていること，高齢者も活躍できる社会の実現に向けては持続可能な取組を共に創造していくことが大切であることを理解している。 ②考案した取組の効果に関する実地調査を，相手や研究内容に応じた適切さで正確に実施している。 ③町民の健康や福祉に対する認識の高まりは，健康寿命の改善に向けた創造的な取組について探究してきたことの成果であることに気付いている。	①町民が抱える健康上の問題点について，自己の関心をもとに研究内容を設定し，検証方法を考え研究計画書を作成している。 ②町民の健康の現状を捉えるために，自己の研究内容に応じて，手段を選択し情報を収集したり蓄積したりしている。 ③統計や先行研究，町民を対象にした調査結果をもとに，自分たちにできる高齢者の健康寿命促進の取組を検討し，実施効果に着目して，取組内容を決めている。 ④町民の健康や福祉の今後の在り方について，自己の取組を振り返り，学習や生活に生かしている。	①町民の健康の実態に関して，他者の研究内容との関係で自らが設定した研究内容の特徴を捉え，向き合おうとしている。 ②行政や医療職，介護施設職員等と協働して町民の健康寿命の向上に取り組もうとしている。 ③町民の健康や福祉の維持発展に向け，持続可能な自己の取組を明らかにして将来社会の実現に貢献しようとしている。

3　指導と評価の計画（全35時間）

小単元名（時数）	ねらい・学習活動	知	思	態	評価方法
1　地域課題を整理し，高齢者福祉の在り方について考えよう。（8）	・地域の健康や福祉に対する問題点について自らの認識を出し合い，過疎化，高齢化と深く関連していることを確認する。 ・高齢者の健康や福祉に焦点を絞って研究内容を設定し，課題の解決に向けた今後の活動への見通しや検証方法を考える。		①		・発言 ・研究計画書 ・研究日報
	・自己の研究内容に照らして必要な情報を収集し，分析した結果を研究内容報告会で交流し合う。 ・研究内容報告会から，町民の健康寿命の現状に関する課題意識を高め，研究計画書を更新する。		②	①	・研究内容報告会における発表や発言 ・研究計画書
2　高齢者の健康寿命の改善に向けて，自分たちにできる取組について考え，検証しよう。（15）	・先行研究やアンケート調査等を踏まえて，町民の健康寿命に関する現状の分析を行い，実施可能な方策について検討する。 **具体的事例❶「思考・判断・表現③」**		③		・健康寿命改善計画書 ・データ分析資料 ・研究日報
	・行政や医療職等と連携・協働した高齢者向け健康教室を実施するとともに，自分たちが考案した取組の検証や改善を行う。 **具体的事例❷「主体的に学習に取り組む態度②」**	②		②	・行動観察や発言 ・データ分析資料 ・研究日報
3　自分たちの取組を振り返り，高齢者福祉の今後の在り方について考えよう。（12）	・研究内容への取組をまとめ，得られた成果や効果についての研究発表会を企画・実施する。	③	④		・研究発表会における発表や質疑応答 ・研究日報
	・自己の研究内容に関する結論や考察について研究集録にまとめる。 **具体的事例❸「知識・技能①」**	①		③	・研究集録

　本単元は，中心的な学習活動を，地域の高齢者の健康や福祉に関する問題と地域に対する自分たちの貢献とした上で，以下に示す三つの小単元で構成するとともに，小単元ごとの学習活動において資質・能力を発揮する生徒の姿を想定し，次のような意図をもって評価場面及び評価規準を設定した。

　小単元1は，町民の健康や福祉に関する基本的な情報の収集を行い，現状の課題を論理的に整理することで自己の研究内容を設定していく場面であることから「思考・判断・表現①」「思考・判断・表現②」の評価規準を設定した。また，自己の研究内容の特徴を捉え，以後の探究に自ら課題を設定して主体的に取り組むことが期待されることから「主体的に学習に取り組む態度①」の評価規準を設定した。

　小単元2は，高齢者の健康寿命の改善に向けて，先行研究やアンケート調査等を踏まえて，町民の健康寿命に関する現状の分析や実施可能な方策の検討を行う場面であることから「思考・判断・表現③」の評価規準を設定した。また，高齢者の身体的特徴や心理的特徴に関する実地調査を正確

に行うことが欠かせないため「知識・技能②」の評価規準を，地域包括ケアシステムの一助として，行政や医療職，介護施設職員等と目的に向かって協働する場面であることから「主体的に学習に取り組む態度②」の評価規準を設定した。

　小単元３は，高齢者の健康寿命促進の取組を得られた成果をもとにまとめて研究発表会を行うことから「思考・判断・表現④」の評価規準を設定した。また，自らの探究を振り返り研究集録を作成することで，町民の健康や福祉に関する概念の形成が期待されるとともに，町民の健康や福祉に対する認識の高まりは，健康寿命の改善に向けた創造的な取組について探究してきたことの成果であることに気付くことが期待されることから「知識・技能①」「知識・技能③」の評価規準を，単元を通じて学んだことをもとに今後の地域社会に貢献し続けようと行動することが期待されることから「主体的に学習に取り組む態度③」の評価規準を設定した。

4　観点別学習状況の評価の進め方

（１）思考・判断・表現③（具体的事例❶）

①評価の場面

　　生徒は，小単元１で整理された地域の高齢者福祉に関する問題について，各種の統計調査や先行研究などを用いて，現状の分析を行い，地域の高齢者の健康寿命が国内平均値を下回ることに着目するとともに，さらに詳細なデータ分析が必要なことに気付いている。

　　そこで，課題の分析をより深めるために，地域の高齢者向けの体力測定やアンケート調査を実施することで，自分たちにできる高齢者の健康寿命の改善の取組を検討できるよう，高校生主体の健康教室を行うこととした。この場面では，高齢者とともに取り組むトレーニングの内容として，情報科・福祉科・数学科・保健体育科の知識を活用し，科学的根拠をもったトレーニングの方法を検討する。また，持続性や安全性にも考慮し，家庭でも実施可能なトレーニング方法を考案する。

　　ここでは，主に健康寿命改善計画書に記載された内容を「思考・判断・表現③」の評価資料とした。

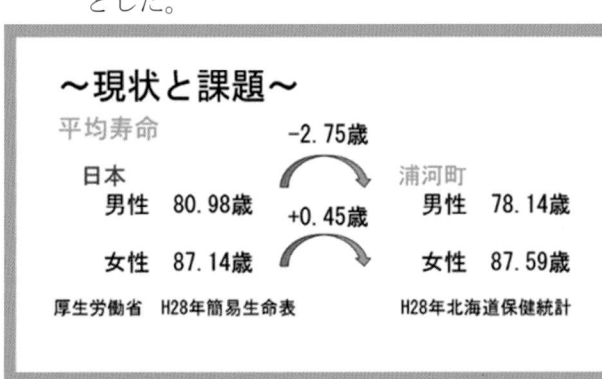
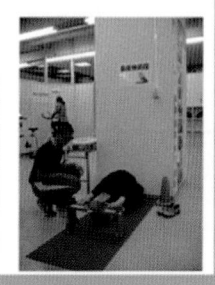

②学習活動における生徒の姿と評価の結果

【評価規準「思考・判断・表現③」】

　　統計や先行研究，町民を対象にした調査結果をもとに，自分たちにできる高齢者の健康寿命促進の取組を検討し，実施効果に着目して，取組内容を決めている。

【生徒Aの振り返り】～健康寿命改善計画書の一部～

　データを分析することで，課題が明確になったように思います。町内の高齢者向けに行った調査のデータと国内平均を比較すると，町内の高齢者は下半身の柔軟性に課題があることが予想されます。だから，この部分の柔軟性を高めることで，体だけではなく血管も柔らかくなり動脈硬化などの病気を防ぎ，健康的な体をつくることができるのではないかと考えました。実際にアンケートした結果，町内の高齢者から「実際に椅子に座ってできる運動がよい。」との声があり，今まで考えていた計画を改善して，２回目の計画を立てるようにします。

　具体的には，福祉の授業で学んだ高齢者の身体的な特徴に気を付けるとともに，保健体育の授業で行っている体操を組み合わせることで，安全なトレーニングを高齢者の方と一緒に取り組むことができるような計画を立てたいと思います。

【評価の結果】

　　生徒Aは，国内平均データと町民データの比較を通して，そこから推察される状況を踏まえて自分としての仮説を立てている。また，高齢者の身体的特徴についても考慮するなど，高齢者に対して多面的に考察していることが伺える。こうした姿から評価規準に示す資質・能力が育成されていると考えることができる。

（２）主体的に学習に取り組む態度②（具体的事例❷）

①評価の場面

　　前時で検討・作成した高齢者向けトレーニングを用いて，実際に運動する機会や場などを町内の高齢者に提供し，健康寿命を促進させたいと考えた生徒は，地域住民の福祉の向上や健康の増進に寄与し，高齢者の介護予防活動や世代相互の交流を図る拠点施設を活用することにした。この施設には，町役場福祉課職員や介護福祉士，看護師など多様な職種の職員が勤務しており，職員との交流を通じて健康教室の内容が改善されるとともに高齢者福祉の在り方について多面的な視点で考える機会となった。

　　実際の健康教室では，作成したプランニングシートに基づき，体力や認知機能の強化トレーニングなどを実施した。トレーニング後は，参加者からデータの収集を行うことで，適切な活動になっているか等の追加調査を実施した。

ここでは，活動の振り返りとして活用している研究日報に記載された内容を「主体的に学習に取り組む態度②」の評価資料とした。

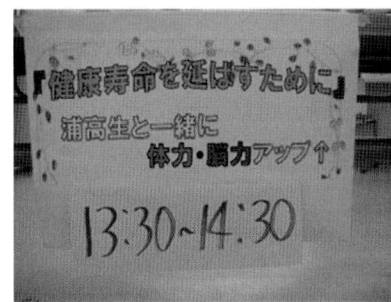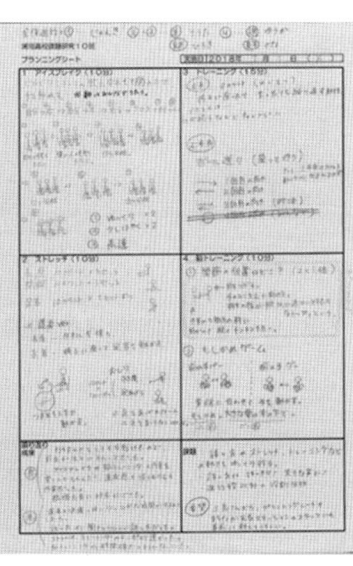

②学習活動における生徒の姿と評価の結果

【評価規準「主体的に学習に取り組む態度②」】
　行政や医療職，介護施設職員等と協働して町民の健康寿命の向上に取り組もうとしている。

【生徒Aの振り返り】～研究日報の一部～

　健康教室において，高齢者の身体的特徴に考慮した安全なトレーニングを高齢者の方と一緒に取り組みました。町役場福祉課職員や介護福祉士，看護師の方から，トレーニングの効果を生むためには，継続的に実施できるようにすることが必要と伺いました。このことから，高齢者の方が，トレーニングを継続的に実施できるように，行政や医療の方と連携して，今後も高齢者の健康寿命を延ばすために貢献したいと思いました。

【評価の結果】

　生徒Aは，前時までに考えたトレーニングについて，行政や医療職の方から継続的に実施できるようにと助言された。このことにより，健康教室をイベント的な取組ではなく，継続的に実施したり，家庭でも取り組めたりする必要性を感じ，今後も自分ができることを考え，健康寿命を延ばす取組に貢献しようとしており，評価規準に示す資質・能力が育成されていると考えることができる。

【生徒Bの振り返り】～研究日報の一部～

　まちなか元気ステーション（地域包括支援センター）での健康教室は，開催に向けて多くの人の協力が得られてありがたかったです。町役場福祉課の方から，高齢者の健康寿命を促進することは町の活性化にも意義があると言っていただいたことは励みになりました。また，介護福祉士や看護師の方が，高齢者一人一人の課題意識や健康状態に応じて，高齢者を支えようとしていることなどが分かり，地域が一体となって高齢者福祉に取り組むことが必要だということが分かりました。

第3編
事例1

【評価の結果】

生徒Bは，自分たちの取組が地域社会に寄与するものであることを町役場職員から伝えられることで自己肯定感を高め，さらに意欲的に健康教室を実施していることが伺える。また，地域包括支援センター内の高齢者福祉に携わる職員と健康教室実施に向けて多様な職種と異世代交流することで協働性を育み，充実した高齢者福祉の実現には地域全体で多様なアプローチを行うことが重要であることを理解しており，評価規準に示す資質・能力が育成されていると考えることができる。

（3）知識・技能①（具体的事例❸）

①評価の場面

地域の高齢者に向けた健康教室を終了した後，自分たちの取組を研究日報等の各種記録をもとにプレゼンテーションの形で町内外の方に向けて研究発表し，外部評価を得ることで地域の高齢者福祉について，今後の課題や見通しを得ることができた。

その後，研究内容に関する総括を研究集録にまとめた。ここでは，研究集録に記述した振り返りを「知識・技能①」の主たる評価資料とした。

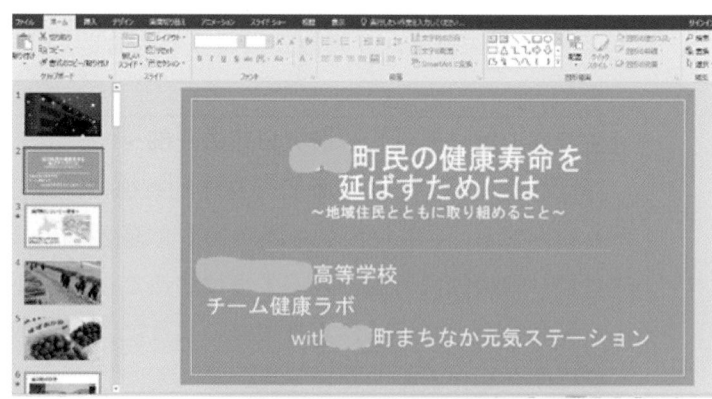

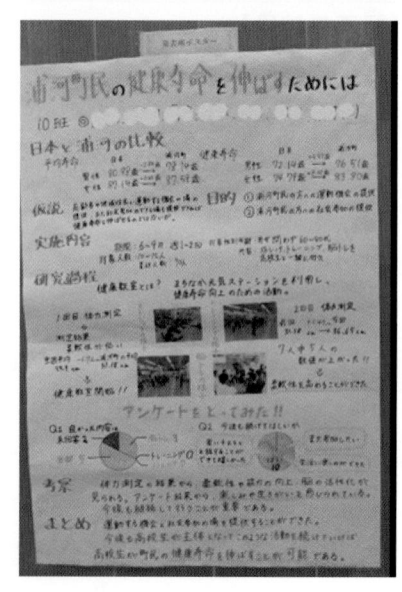

②学習活動における生徒の姿と評価の結果
【評価規準「知識・技能①」】

　　町民の健康や福祉の向上のために様々な人や組織が関わり合っていること，高齢者も活躍できる社会の実現に向けては持続可能な取組を共に創造していくことが大切であることを理解している。

【生徒Bの振り返り】〜研究集録の一部〜

　私たちの取組は，地域の高齢者や地域住民に運動する機会と社会参加の場を提供できたと思います。このように考えた根拠は，実施後に行ったアンケートにおいて，高齢の参加者から「参加を目的に家から出る機会が増えた」，「もっと続けたい」などの肯定的な評価が多く得ることができたからです。

　私は，地域の方々の健康や福祉の問題は，地域みんなの問題だと再認識しました。私たちを含めて，健康づくりや福祉に関わっている一部の人だけの問題ではありません。私の親や私自身もいずれ向き合わなければならない問題だからこそ，今回の取組のように，高齢者と町民や高校生を繋ぎ，互いに理解し合い地域ぐるみで高齢者を支えるということを続けていかなければいけないと考えるようになりました。地域の高齢者の健康寿命を改善することは，少子高齢化の時代を迎える日本にとって，次のような効果があることが分かりました。①高齢就労者による労働力の確保，②医療費用・介護費用の節約，③高齢者の消費活動による経済貢献です。

　また，研究発表を行った「データ利活用コンペティション」では，データ分析の重要性について改めて学ぶことができました。この取組を通じて，計画性，主体性，協調性などが身に付き，自分自身も大いに成長できたので，今後も地域の高齢者の方と積極的に関わり継続的に地域を支えていきたいと考えています。

【評価の結果】

　　生徒Bは，研究内容をまとめ，結論を得る過程で，地域の高齢者の健康や福祉は，様々な人や組織が相互にかかわりあって支えていることや，自分たちの取組の意義や価値について，アンケート等の評価や文献調査から，客観的に分析している。また，研究発表を通じてデータ分析の重要性について改めて認識を深めていることも伺える。さらに，地域の高齢者の健康寿命を改善するために，地域の高齢者の健康や福祉については，継続的に取り組んでいくことが大切であると理解していることから，評価規準に示す資質・能力が育成されていると考えることができる。

5　評価結果の総括と指導計画の改善
（1）評価結果の総括と指導要録の記載

　　「小学校，中学校，高等学校及び特別支援学校等における児童生徒の学習評価及び指導要録の改善等について（通知）」に，「総合的な探究の時間の記録については，この時間に行った学習活動及び各学校が自ら定めた評価の観点を記入した上で，それらの観点のうち，生徒の学習状況に顕著な事項がある場合などにその特徴を記入する等，生徒にどのような力が身に付いたかを文章で端的に記述すること」とされている。記述に当たっては，単なる活動のみにとどまることがないよう留意する必要がある。

例えば，生徒Aについては，次のような記述が考えられる。

学習活動	観点	評　　価
町民の健康寿命を延ばすために	知識・技能 思考・判断・表現 主体的に学習に取り組む態度	高齢者とともに取り組むトレーニングでは，各種の統計調査や先行研究などから，健康寿命を延ばす効果と安全を理解し，科学的な根拠をもったトレーニングの内容と方法を考えた。持続可能な自己の取組を明らかにして，今後も高齢者の健康寿命を延ばすために貢献しようとしている。

また，生徒Bについては，次のような記述が考えられる。

学習活動	観点	評　　価
町民の健康寿命を延ばすために	知識・技能 思考・判断・表現 主体的に学習に取り組む態度	まちなか元気ステーションでの健康教室では，町民の健康や福祉の向上のために，様々な人や組織が関わっていることを理解した。健康教室の改善のために，行政や医療職，介護施設職員等と協働して健康寿命の向上に取り組もうとしている。

　各学校において定められた評価の観点は，生徒の成長や学習状況を分析的に評価するためのものである。また，各学校においては，設定した評価規準と実際の学習状況とを照らし合わせて評価していくことが考えられる。その際，生徒の学習活動を記録したり，生徒の作品などを保存したりして，評価資料を集積しておくことが重要である。

　評価結果の総括に当たっては，評価場面や単元における評価結果を総合し，「総合的な探究の時間の記録」に記述することが考えられる。その際，必要に応じて指導を行った学年（年度）を付記するなど，各学校の実態に応じて工夫して記載することが考えられる。なお，評価規準にかかわらず教育的に望ましい成長や価値ある学習状況が現れた場合，生徒の姿を価値付け，そのよさを記述することも大切なことである。

（2）総合的な探究の時間の指導計画の評価・改善

　総合的な探究の時間の指導計画については，実際に学習活動を展開する中で，教師が予想しなかった望ましい活動が生徒から提案されたり，価値ある学習を生み出す問題場面に遭遇したりする可能性もある。その場合，教師は，生徒との関わりの中で起きた事実から，授業の中で本時の授業計画を修正したり，授業後に本時の実践を振り返り，次時の授業計画を修正したりするなど，柔軟性をもつことが大切である。

　また，単元計画及び年間指導計画作成の際に期待した生徒の姿と，学習活動に取り組む生徒の実際の姿とのズレが授業の中で見られた場合，教師は，自らの授業を振り返り，単元計画や年間指導計画の修正を行う。さらに，必要に応じて，全体計画についても見直しを図り，目標や内容の修正をすることも考えられる。

　このように，各学校においては，総合的な学習の時間の指導計画の評価・改善は，①一単位時間の授業計画，②単元計画，③年間指導計画，④全体計画の全てを見渡して行うことが求められる。

総合的な探究の時間　　事例2
キーワード　指導と評価の計画，「知識・技能」の評価，生徒の学習の姿と見取り

単元名
自己を探る
〜自分が社会とつながるために〜
（第3学年）

内容のまとまり
「地域」「キャリア」（全35時間）

　本単元は，全体計画に定めた探究課題「職業の選択と社会貢献及び自己実現」を踏まえて構想した単元である。第3学年では，それぞれの生徒が研究テーマを設定し，卒業研究として取り組む。第1学年及び第2学年において地域を探究した取組を踏まえ，「地域のために自分は何ができるか」「自分は地域にどうかかわれるか」ということを個人で探究していく。また，本単元はキャリア教育の推進計画等とも関連を図る。自己の在り方生き方を考えながら，総合的な探究の時間の集大成として取り組むことで，目の前に迫った実社会で活用できる資質・能力の育成を目指したものである。

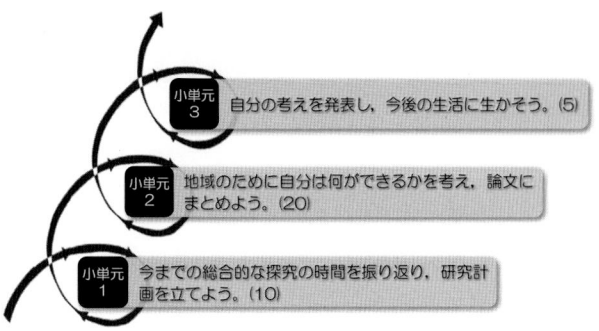

1　単元の目標

　地域の課題を踏まえ，「地域のために自分は何ができるか」を考えていくことを通して，自己の将来について具体的に考え，これからの自分自身の生き方や学びの方向性を見いだし，日常の生活に生かすことができるようにする。

2　単元の評価規準

観点	知識・技能	思考・判断・表現	主体的に学習に取り組む態度
評価規準	①地域の課題の背景にある問題状況，課題の解決に向けた取組等に気付き，そのことが自分自身の生活とつながっていることを理解している。 ②目的に応じて，複数の手段を使って，情報の収集をしている。 ③地域の課題との関係で自らの将来を考えてきたことやそのことによる自己変容が，これまでに行ってきた探究の積み重ねによるものであると理解している。	①地域の複雑な問題状況を把握し，自分の進路や興味・関心と結び付けながら自己の課題を明らかにしている。 ②収集した情報を比較・分析等する中で，地域の問題に関する共通点や差異点を明確にしている。 ③自らの主張や提案の意図が伝わるように，論理的な章立てで論文を構成している。	①研究テーマの解決に向けて，自分で計画を立て，自分から情報収集に向かおうとしている。 ②自他のよさを認め，多様な意見を受け入れながら，地域に貢献しようとしている。

3 指導と評価の計画（全35時間）

小単元名（時数）	ねらい・学習活動	知	思	態	評価方法
1 今までの総合的な探究の時間を振り返り，研究計画を立てよう。(10)	・第1学年及び第2学年までの学びを振り返り，研究する目的を明確にする。 ・地域の複雑な問題状況の中から，自己の進路や興味・関心と結び付けながら，研究テーマを自分自身で決定する。		①		・研究計画構想シート（地域の問題，自己の将来設計などから大枠を構想するワークシート）
	・研究テーマを焦点化し，課題を自らのものに磨き上げる。 **具体的な事例①「知識・技能①」** ・研究計画を立てる。	①			・研究テーマ設定シート（地域の問題状況と自らの生活との関係などからテーマ設定の理由を記述するワークシート）
2 地域のために自分は何ができるかを考え，論文にまとめよう。(20)	・個人研究で取り組む課題及び研究計画を確認し合う。 ・研究テーマや目的に応じて，質的なデータや量的なデータなど多様な情報を収集する。	②		①	・情報収集段階の振り返りシート（情報収集の方法と自身の取組に対する態度などの欄を設け記述するワークシート）
	・収集した情報について，整理・分析する。		②		・収集情報分析シート
	・論文の形にまとめ，相手に分かりやすく伝わるよう章立て等について工夫する。		③		・論文構想計画メモ
3 自分の考えを発表し，今後の生活に生かそう。(5)	・第1学年と第2学年の生徒及び地域の参加者に調査研究の成果や今後の行動指針を発表する。 ・発表を受けて，論文を見直し推敲する。			②	・論文発表評価シート（発表内容のよさ，自らに生かす部分，今後の行動などの項目を設定したワークシート）
	・3年間の総合的な探究の時間の学びを振り返り，学習したことの意義や価値を実感し，自己のキャリア形成に向けて新たな目標を検討する。 **具体的事例②「知識・技能③」**	③			・単元振り返りポートフォリオ（3年間の学習成果の集積と振り返り見つめ直した作文） ・キャリアカウンセリング

第3編
事例2

本単元は，中心的な活動を，地域の課題の背景にある問題状況と自分自身の生活をつなげて，自らの将来の在り方を論文にまとめていく活動とした。以下に示す三つの小単元で構成するとともに，小単元ごとの学習活動において資質・能力を発揮する生徒の姿を想定し，次のような意図をもって評価場面及び評価規準を設定した。

　小単元1は，第1学年及び第2学年で取り組んできた地域を探究するという総合的な探究の時間の取組を基に，第3学年で探究していく研究テーマを設定していく場面である。生徒は，第2学年の終わりに第3学年で取り組みたい研究テーマについて考えており，それをより焦点化することで卒業研究としての見通しをもつ小単元である。単元の導入では，今までの取組を踏まえて，地域における問題状況やそのことに起因する課題を洗い出し，地域の状況を再確認する。その上で，将来の進路や興味・関心などとつなげて研究テーマを設定することから，「思考・判断・表現①」の評価規準を設定した。また，その過程においては，地域の課題の背景にある問題状況，課題の解決に向けた取組等に気付き，それらが自らの生活とつながっていることを明らかにしながら課題を磨き上げることから「知識・技能①」を評価規準として設定している。

　小単元2は，生徒が設定した研究テーマについて探究していくことを通して，収集した情報を整理・分析し，自分の将来についての考え等を論文にまとめる学習活動を行う場面である。情報の収集の過程においては，目的に応じて，複数の手段で，情報の収集を進めていく技能を身に付けることから，「知識・技能②」の評価規準を設定した。また，この過程において，生徒が自分から積極的に調査計画を立て，調査活動に取り組むことを期待して「主体的に学習に取り組む態度①」の評価規準を設定した。さらに，複数の事象や情報を比較しながら，地域にある課題の共通点や差違を明確にすることから「思考・判断・表現②」の評価規準を設定した。まとめ・表現の過程においては，「これからの自分に何ができるか」ということを何度も考えていくことを通して，自己の将来の在り方生き方について深く考えるとともに，論理的な章立てで論述することから，「思考・判断・表現③」の評価規準を設定した。

　小単元3は，論文にまとめた内容を基に，第1学年と第2学年の生徒や地域の参加者に研究や調査の成果を発表する活動に取り組む。ここでは，改めて自己の将来について深く考え，これからの生活の有り様を見つめていく学習場面である。発表者相互，聴衆の第1学年，第2学年の生徒及び地域の参加者からの意見等を踏まえて自分の考えを再構成していくことを行う。そこでは，異なる意見や他者のよさを今後の行動に生かし，地域へ貢献したいという思いを明確にすることを期待して「主体的に学習に取り組む態度②」の評価規準を設定した。最後には，3年間の総合的な探究の時間のフィナーレとして，学習の成果物を集積し，その学びがもたらした自己変容と自己の将来について考える。そのことで，総合的な探究の時間が，これからの自分自身の在り方生き方に対する深い理解につながることを願って「知識・技能③」の評価規準を設定した。

4　観点別学習状況の評価の進め方
（1）知識・技能（具体的事例❶）
①評価の場面
　　　　本単元の導入では，第2学年の終わりに決定した研究テーマについて改めて考えることにした。その際，これまでに学んできた地域の問題状況や課題を洗い出し，そのことと自分自身

の将来の進路や興味関心とを結び付けた研究テーマであるかどうかを研究構想シートで整理した。さらに，研究構想を焦点化するために，自分の日常生活との接点があるかどうかを詳細に検討し，研究テーマ設定シートに論述するようにした。その上で，ここでは，研究テーマ設定シートでの生徒の記述から「知識・技能①」を評価することとした。

②学習活動における生徒の姿と評価の結果
【評価規準「知識・技能①」】

地域の課題の背景にある問題状況，課題の解決に向けた取組等に気付き，そのことが自分自身の生活とつながっていることを理解している。

生徒Aが作成した研究テーマ設定シートに着目した。

第3編
事例2

研究テーマ設定シート

１．第２学年で決めたテーマ

「地球温暖化」

〇自分自身の興味関心や進路との関係で焦点化する

・案１　地球温暖化における　温室効果ガス　について

・案２　地球温暖化における　日本の取組　について

・案３　地球温暖化における　炭素税　について

〇自分自身の日常生活との関係で焦点化する

・案　地球温暖化について，〇〇市の自然環境や経済効果，市民意識の視点から考える

２．第３学年テーマと設定理由

〇研究テーマ

「〇〇市の地球温暖化対策の取組とその成果

　　～わたしたちは〇〇市の自然環境のために何ができるか～」

〇研究テーマの設定理由

自分が生活している〇〇市に絞って研究を進める。また，数字のデータだけでなく，実際に市職員の方にインタビュー調査などをしながら，具体的な実情を明らかにしたい。今まで総合的な探究の時間などで「地域」を学んできたので，もっと〇〇市のことを詳しく知りたいと考えている。普段の生活でも，環境保全に関心があり取り組んできた。地球温暖化については〇〇市のホームページにも，「〇〇市環境基本計画」のことが掲載されていた。地球規模の問題は，日々の暮らしと大いに関係があるはずだ。〇〇市が独自に行っていること，自分自身でできること，広く市民としてできることを明らかにし多くの方に提言として発信していきたい。

生徒Aは，最初に地球温暖化という大きなテーマを掲げていたが，焦点化を進めていく中で温室効果ガスや日本の取組，炭素税などについても興味をもった。また，自分の生活や生活している〇〇市との関係でテーマを絞り込んでいく中で，〇〇市が独自に地球温暖化対策の取組を行っていることにも気付いていった。また，日頃の環境保全への取組は地球温暖化と結び付いていることを自覚し始める中で，研究テーマを〇〇市の地球温暖化対策の取組，そのことに直接つながる自分自身の行為や

市民としての行動がどうあるべきかとまとめていった。このことは，地球温暖化やその解決に向けての取組は，自分の日常生活における様々な行為と結び付き，関連していることを明確に意識していると考えることができる。そして，そのことを中心に研究テーマを設定していることから，概念的知識を形成していると評価できる。

（2）知識・技能（具体的事例❷）
①評価の場面
　　第３学年の生徒は，本単元の終わりに３年間の総合的な探究の時間の学びを振り返る学習活動を取り入れ，総合的な探究の時間で学んできたことの意義や価値を実感し，自己のキャリア形成に向けて新たな課題を設定することを目指している。自己の成長を振り返るために，今まで学習した資料やワークシート，振り返りシート等を活用する。また，自己評価や記述だけでは，見取りにくい部分もあるため，キャリアカウンセリングを実施する中で，総合的な探究の時間での学びから自己の将来に向けてどのような思いをもち，取り組もうとしているのかを共有する時間をとっている。そのため，ここでは単元末の振り返りシート及びキャリアカウンセリングでの発言を中心に「知識・技能③」の評価資料とした。

②学習活動における生徒の姿と評価の結果
【評価規準「知識・技能③」】
　　地域の課題との関係で自らの将来を考えてきたことやそのことによる自己変容が，これまでに行ってきた探究の積み重ねによるものであると理解している。

単元振り返りポートフォリオにおける生徒Ｂの記述に着目した。

　　自分は「温暖化対策」を研究テーマに探究をしてきました。このテーマにした理由の一つに自分は将来，自然環境に関係する方向に進みたいと思っていたからです。でも研究を進めていくうちに，今まで見えていなかった視点が出てきて，本当に自分がこれからしたいことは何なのかわからなくなってしまうこともありました。
　　１年生や２年生，地域の方に自分の研究を発表して，みんなからいろんな意見をもらう中で，少しずつだけど自分が進むべき道が見えてきた気がします。

また，キャリアカウンセリングの中で，生徒Bは，次のようなことを話していた。

> 　総合的な探究の時間で何かに取り組もうとすると，いろんな教科の力が必要になってきます。例えば，何かを伝えようとしたら分かりやすく書いたり話したりしなければならないので，「これは国語だ！」と思います。1年生の○○おもてなしプランでは，留学生の人との関わりがたくさんあって，「英語をもっと勉強しなければ！」と思いました。具体的には，将来，自然環境に関する方向に進みたいと考えて設定した研究テーマに取り組んできました。自分の生活と密接に関わっていることもあれば，全く認識できていないこともありました。総合的な探究の時間の積み重ねは，地域を学んでいたようで，実は自分のことをしっかり考えられる時間だった気がします。

　生徒Bは，単元振り返りポートフォリオでは，「地域の課題との関係で自らの将来を考えることができた」と認識している。しかし，この姿を評価規準に照らして判断すると，「自己の変容」を探究の積み重ねであると認識しているとは言えないと判断できる。

　その後，授業者は，キャリアカウンセリングにおいて，職業の選択と自己実現を視点にして，総合的な探究の時間を振り返る機会を設けた。そこでは，学びの意義や価値を理解し，地球規模の環境問題が自己の在り方生き方とつながっていることを理解している姿をみることができ，探究の意義や価値を実感していると解釈できる。こうした生徒Bの姿から評価規準に示す資質・能力が育成されていると考えることができる。

総合的な探究の時間　　事例３
キーワード　指導と評価の計画，「思考・判断・表現」の評価，生徒の学習の姿と見取り

単元名	内容のまとまり
地域のプロフェッショナルと探究しよう（第１学年）	「環境」「文化の創造」等（全 35 時間）

　本単元は，全体計画に定めた探究課題「自然環境とそこに起きているグローバルな環境問題」「文化や流行の創造や表現」などを生徒の多様な課題に対する意識を生かして構想した単元である。地域で活躍する産業・文化・歴史のプロフェッショナルからの講義等から，生徒自身が自己の在り方生き方と一体的で不可分な課題を自ら発見していくようにする。その際，生徒の課題に応じてグループを編成し探究していくため，

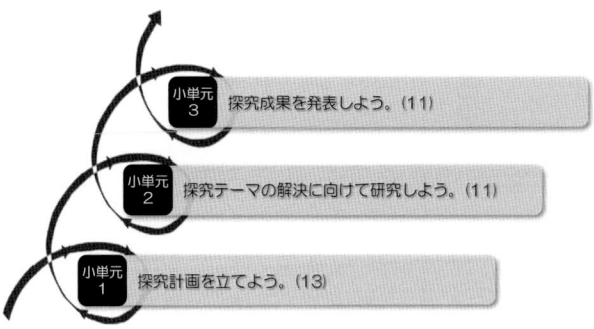

小単元3　探究成果を発表しよう。(11)

小単元2　探究テーマの解決に向けて研究しよう。(11)

小単元1　探究計画を立てよう。(13)

探究課題に幅をもたせ，生徒の多様な興味・関心に十分応えられるようにした。
　また，第３学年では，学際的な視点で探究活動を行う。そのためにも，第１学年の探究活動において，例えば科学技術分野の内容を扱う場合には，実際に観察や実験などの体験を通した学習プロセスを重視する。また心豊かな生活や社会的な価値を創り出すような内容を扱う場合には，実際に諸感覚による分析やアンケートを用いた情報の収集を通した学習プロセスを重視するなどとする。このような学習プロセスの中には，グループの探究課題に応じて多様に学習が展開する場合や，複合的な内容を含む場合などが想定される。そのため，人的または物的な体制の確保を進め，地域や高等教育機関，行政機関，民間企業等と連携・協働していく。
　このことにより，実社会での問題発見・解決に生かしていく視点から生徒が自らテーマを設定し，学習を進めるために，生徒が地域や産業界，大学などと多様な接点を持ち，社会的な課題や現在行われている取組について学ぶことができる。このようにして，３年間の総合的な探究の時間で育成すべき資質・能力を踏まえて，単元目標にある資質・能力の育成を目指したものである。

1　単元の目標

　自己の生活や周辺の事象における課題を解決することを通して，特産品の組合せや海洋汚染状況などを客観的・科学的な視点で理解するとともに，統計的な分析や観察・実験から得られたデータを基に考え，これからの探究活動を見通したり自分の生活に生かしたりすることができるようにする。

第3編
事例3

2 単元の評価規準

観点	知識・技能	思考・判断・表現	主体的に学習に取り組む態度
評価規準	①自己の生活や周辺の事象には,それぞれの実態に応じた課題があることを,具体例に基づいて理解している。 ②統計調査やアンケート調査,観察や実験などを,対象に応じた適切さで,正確に実施している。 ③特産品の組合せによる新たな価値の創造や海洋汚染状況の把握などと自分たちの生活との関わりについての理解は,探究してきたことの成果であることと理解している。	①自分たちのゴールの見通しをもち,課題をつくり,仮説を立て,検証方法を考え,計画を立案している。 ②目的に応じた手段を選択し,関係機関に訪問して観察・実験したり,アンケート調査したりして情報を収集している。 ③仮説の検証に向けて,最適な方法を選択しながら,原因を特定している。 ④探究活動によって得られた調査結果を,データの質や伝えたい内容や方法を踏まえて表現している。	①中間発表を通して,多様な意見や他者の考えを受け入れて協力しようとしている。 ②正確な結論に向けて,より誠実に,あきらめずに繰り返し自分たちの探究計画書に沿って取り組もうとしている。

3 指導と評価の計画（全35時間）

小単元名（時数）	ねらい・学習活動	知	思	態	評価方法
1 探究計画を立てよう(13)	・地域での出来事や,地域で活躍している方の話から,グループ内で共通する興味・関心について話し合い,探究テーマを決定する。 ・フィールドワークや学級全体での話合いを通して,探究計画書を作成する。	①	①		・課題設定報告書 ・探究計画書
2 探究テーマの解決に向けて研究しよう(11)	・探究計画書に沿って課題解決する。 ・関係機関に訪問し,取材や質問をしたり,アドバイスを受けたりして,課題解決への精度を高めていく。	②	②	②	・探究リテラシー研究記録
	・学級で中間発表することで多様な意見を聞き,研究の価値を高めていく。 **具体的事例①「思考・判断・表現③」**		③	①	・探究リテラシー研究記録 ・中間発表
3 探究成果を発表しよう。(11)	・論文の書き方を知り論文を作成する。 ・新聞やポスターセッションで探究成果の発表を行う。 **具体的事例②「思考・判断・表現④」**	③	④		・論文 ・新聞 ・ポスターセッション

本単元は，中心的な学習活動を，自己の生活や周辺の事象を，関係機関と連携して講義の聴講や文献調査，アンケート調査，観察や実験などを通して分析することとし，その成果を論文，新聞，ポスターセッションにより発表することとした上で，以下に示す三つの小単元で構成した。評価場面については，小単元ごとの学習活動や学習場面において，資質・能力を発揮する生徒の姿を想定し，以下のような意図をもって設定した。

　小単元１は，単元の導入においてグループ内で共通する興味・関心について話し合い，探究テーマを決定する際に，考えるための技法を使って，グループ内で意見を交流させ，探究テーマの解決に向けて仮説を立て，検証方法を考え，計画を立案している場面であることから，「思考・判断・表現①」の評価規準を設定した。また，地域で話題になっている出来事や，地域で活躍している方の話から，自己の生活や周辺の事象には，それぞれの実態に応じた課題があることを，具体例に基づいて理解することを基盤として，単元をスタートすることとした。例えば，マイクロプラスチックによる海の環境汚染を探究テーマとしたグループは，自然環境は互いに関わり関係しながら，国境を越えて地球規模でつながっていることに関する概念の形成を期待して，「知識・技能①」の評価規準を設定した。

　小単元２の前半では，グループごとに探究計画書に沿って，目的に応じて，関係機関と連携して文献調査やアンケート調査，観察や実験などを選択し，客観的または科学的に情報収集する場面である。こうした情報収集の場面では，対象に応じた適切さで正確に実施することが欠かせないため，「思考・判断・表現②」及び「知識・技能②」の評価規準を設定した。また，探究計画書どおりにならないことでも，前向きに受け入れ誠実に取り組む粘り強さを培う機会と捉え，「主体的に学習に取り組む態度②」の評価規準を設定した。小単元２の後半では，中間発表において，多様な意見や他者の考えを受け入れて尊重したり，これまでの探究活動を振り返り，自己を見つめ，自分の個性や特徴に向き合ったりする場面であることから，「主体的に学習に取り組む態度①」の評価規準を設定した。また，小単元２の前半で得られたデータを，仮説の検証に向けて，対象の検証に最適な方法を選択しながら，原因を特定している場面である。例えば，海塩に含まれるマイクロプラスチックを特定しようと観察・実験によってデータを収集したが，マイクロプラスチックを特定することができなかった。そこで，第１回目の観察・実験の方法による課題を見いだし，第２回目の観察・実験を改善する場面であることから，「思考・判断・表現③」の評価規準を設定した。

　小単元３は，探究活動を通して得られた調査結果を，データの質や伝えたい内容や方法を踏まえて論文，新聞，ポスターセッションなどで表現するとともに，グループごとに設定した探究テーマを解決していく過程を振り返ることを通して，探究テーマと自分たちの生活との関わりについての理解は，探究してきたことの成果であることを自覚する生徒の姿を見取る適切な評価機会であると考え，「思考・判断・表現④」及び「知識・技能③」の評価規準を設定した。

4 観点別学習状況の評価の進め方

（1）思考・判断・表現（具体的事例❶）

①評価の場面

　　本グループは，世界の環境汚染がどれくらい進んでいるのかを調べるために，マイクロプラスチックによる海の環境汚染に着目した。プラスチックによる海の環境汚染が進んでいるならば，海塩にマイクロプラスチックが含まれているのではないかという仮説を立てた。仮説を検証するため，関係機関と連携し，実験①では濾過実験と元素分析，実験②ではナイルレッド染色-蛍光観察法（ＮＲ染色）と赤外分光光度法を行った。海塩の対象地域を，中国（福建省），インドネシア（バリ島），ベトナム（カンホア※実験②のみ），そして日本（高知県室戸※実験①のみ）とした。これは，環境省調査（2018）で，陸上から海洋に流出したプラスチックごみ発生量（2010年推計）は，1位が中国で132〜353万ｔ／年，2位がインドネシアで48〜129万ｔ／年であったためである。海塩に含まれるマイクロプラスチックを特定する実験結果を整理したり分析したりして思考する活動へと高める整理・分析場面においては，個別の実験結果と文献から推測したり，比較したりして，科学的な根拠に基づいて分析するといった学習活動が展開される。このような場面においては，問題解決を目指して事象を比較したり，因果関係を推測したりして考えるなどの姿が期待される。

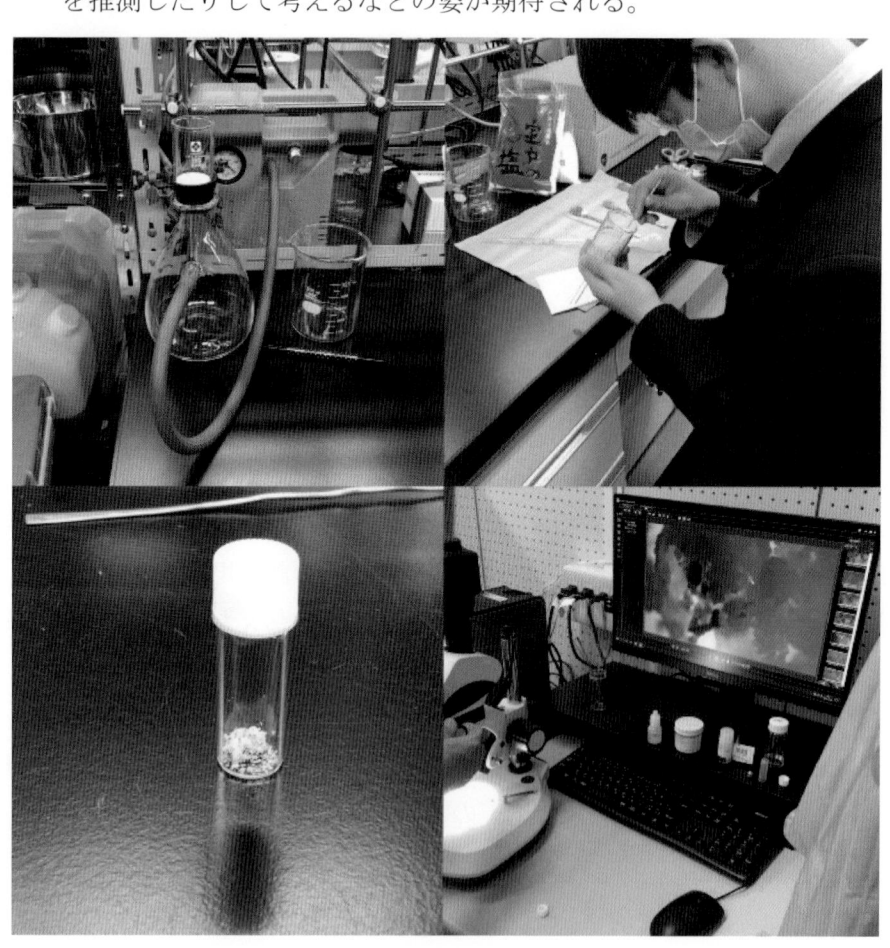
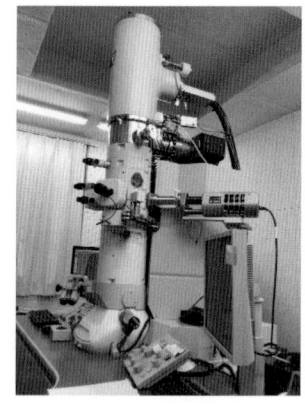

②学習活動における生徒の姿と評価結果

【評価規準「思考・判断・表現③」】

　　仮説の検証に向けて，最適な方法を選択しながら，原因を特定している。

【生徒Ａの探究リテラシー研究記録】

実験①の結果を踏まえて実験②を行うために，改善点は次の２点であると検討した。

(1) 実験①の海塩では，主に砂や貝殻が検出されたが，マイクロプラスチックとは断定できないものの，その見込みのある結果も得られた。これは，海塩は海水から塩を生産する製造過程で，機械や人の手により，マイクロプラスチックが除去された可能性がある。そこで，実験②では天日塩に変更する。

(2) 実験①では濾過と元素分析を行い，次のような結果であったので，実験②を改善する。

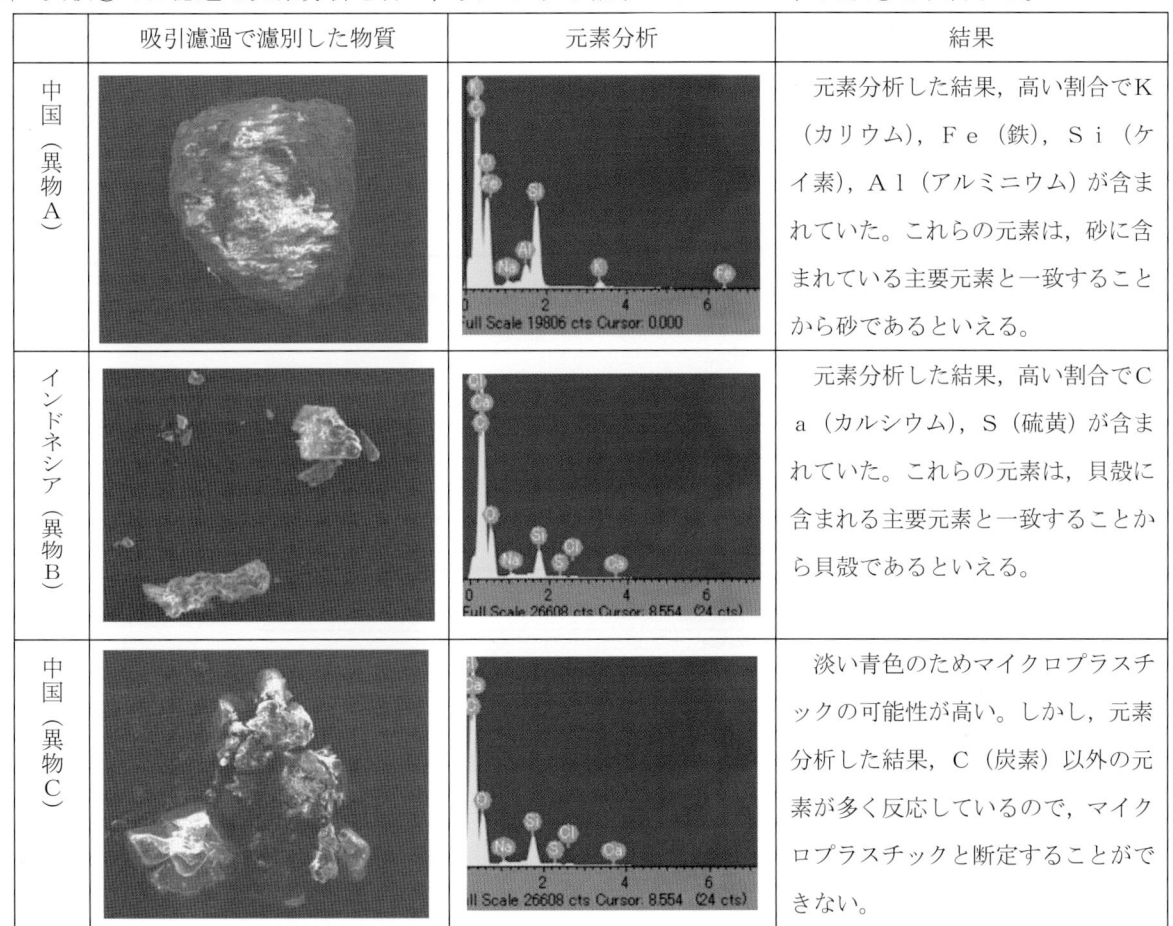

	吸引濾過で濾別した物質	元素分析	結果
中国 （異物Ａ）			元素分析した結果，高い割合でK（カリウム），Fe（鉄），Si（ケイ素），Al（アルミニウム）が含まれていた。これらの元素は，砂に含まれている主要元素と一致することから砂であるといえる。
インドネシア （異物Ｂ）			元素分析した結果，高い割合でCa（カルシウム），S（硫黄）が含まれていた。これらの元素は，貝殻に含まれる主要元素と一致することから貝殻であるといえる。
中国 （異物Ｃ）			淡い青色のためマイクロプラスチックの可能性が高い。しかし，元素分析した結果，C（炭素）以外の元素が多く反応しているので，マイクロプラスチックと断定することができない。

このことから，塩以外の異物は，砂や貝殻が多くあり，その中からマイクロプラスチックを探すのは時間と労力を要する。さらに，色からマイクロプラスチックであると見込まれる異物を元素分析しても，マイクロプラスチックと断定することができない結果でもあった。なお，日本の塩からは，吸引濾過を行っても何も検出されなかった。そこで，実験②では，より効率の良いナイルレッド染色-蛍光観察法（ＮＲ法）と赤外分光光度法の実験に変更する。

【評価の結果】

生徒Ａは，塩に含まれている異物の種類について実験結果を比較したり，複数のデータを根拠にしながら推測したりして考えている。濾過実験の残留物を形，色により分析するとともに元素分析を行い，その結果から，マイクロプラスチックを見付けようと考えたが，十分な結果を得ることができなかった。そこで，マイクロプラスチックを特定するための実験方法を改善することとし，塩の種類を見直し，実験方法を効率の良いナイルレッド染色-蛍光観察法（ＮＲ法）と赤外分光光度法に変更した。こうした姿から評価規準に示す資質・能力が育成されていると考えることができる。

【生徒Bの探究リテラシー研究記録】

実験②は次のとおりの結果であり，それを踏まえて考察する。

(1) ナイルレッド染色−蛍光観察法（NR染色法）と赤外分光光度法の結果

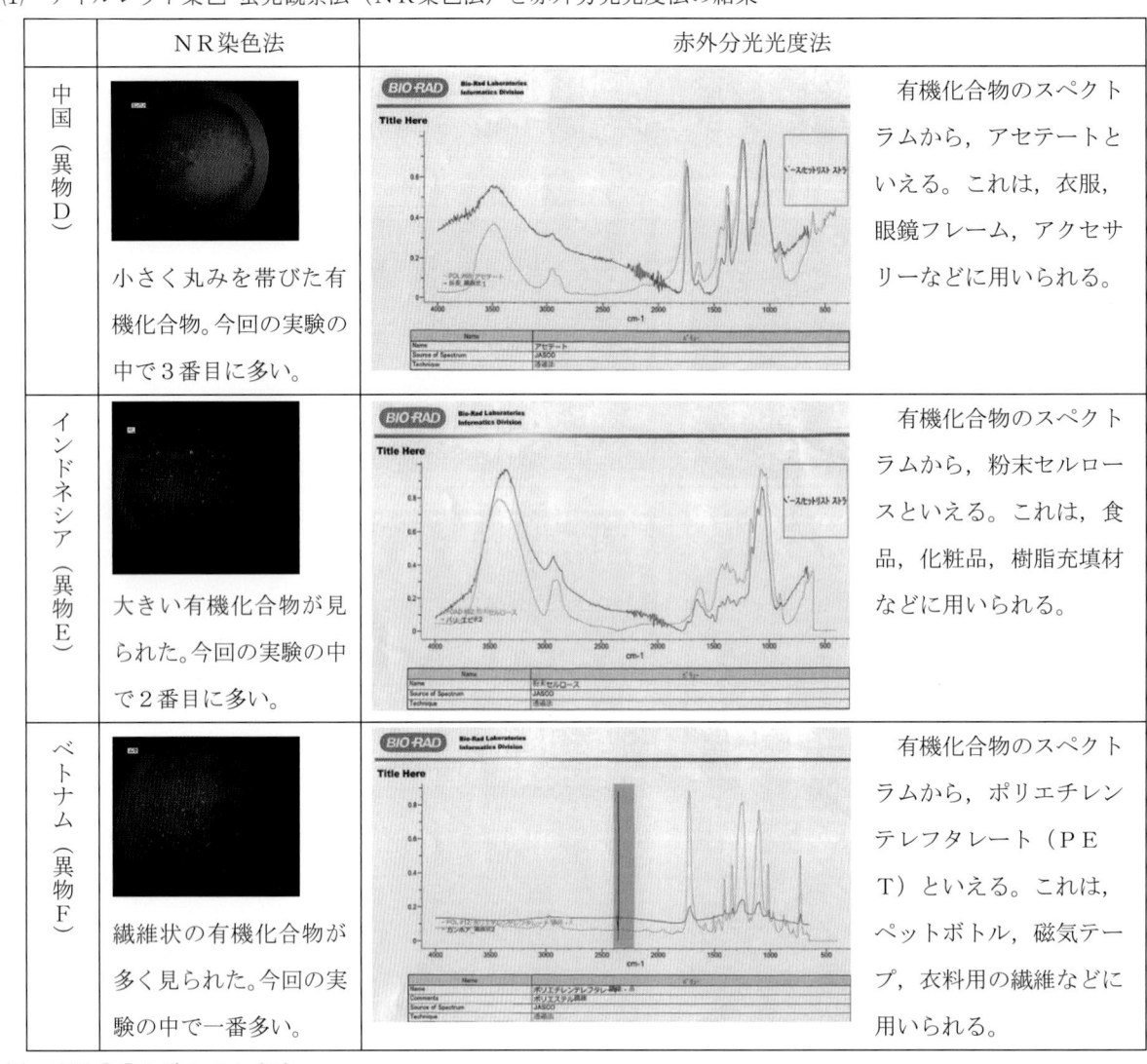

	NR染色法	赤外分光光度法	
中国（異物D）	小さく丸みを帯びた有機化合物。今回の実験の中で3番目に多い。		有機化合物のスペクトラムから，アセテートといえる。これは，衣服，眼鏡フレーム，アクセサリーなどに用いられる。
インドネシア（異物E）	大きい有機化合物が見られた。今回の実験の中で2番目に多い。		有機化合物のスペクトラムから，粉末セルロースといえる。これは，食品，化粧品，樹脂充填材などに用いられる。
ベトナム（異物F）	繊維状の有機化合物が多く見られた。今回の実験の中で一番多い。		有機化合物のスペクトラムから，ポリエチレンテレフタレート（PET）といえる。これは，ペットボトル，磁気テープ，衣料用の繊維などに用いられる。

(2) 実験①②を踏まえた考察

　　実験①では，海塩にマイクロプラスチックが含まれているかを特定することができなかった。そこで，実験②の結果により，海塩には，マイクロプラスチックが含まれていることが分かった。このことから，私たちが立てた仮説「プラスチックによる海の環境汚染が進んでいるならば，海塩にマイクロプラスチックが含まれているのではないか」は，正しかったといえる。

【評価の結果】

　　生徒Bは，海塩に含まれている異物の種類について実験結果を比較したり，複数のデータを根拠にしながら推測したりして考えている。具体的には，ナイルレッド染色−蛍光観察法（NR染色法）と赤外分光光度法の実験から，異物D・E・Fのスペクトラムの凹凸の特徴を分析し，有機化合物であるマイクロプラスチックを特定した。生徒Bの探究リテラシー記録からは，実験①の検証方法から実験②の検証方法へと，より適切な方法に改善しながら海塩に含まれるマイクロプラスチックを特定するための最適な方法を選択し，実験結果を分析した姿を見取ることができる。こうした姿から評価規準に示す資質・能力が育成されていると考えることができる。

第3編
事例3

（2）思考・判断・表現④（具体的事例❷）

①評価の場面

　　本グループは，以前，A校商業科が開発した「まんじゅう」と高知で栽培されている「土佐茶」の知名度をあげ，ロングセラー商品とするために，このまんじゅうに最も合う土佐茶について探究した。このまんじゅうは，甘さが控えめで生姜の味が強いため，味に特徴のあるお茶が合うのではないかという仮説を立てた。仮説を検証するため，関係機関と連携し，候補となるお茶を選んだり，アンケート項目を設定したりなどした。候補となるお茶は，沢渡ほうじ茶，大抜茶，伝統銘茶，土佐の紅茶，碁石茶（プレーン），碁石茶（塩入）の６種類とした。まんじゅうとお茶の試食後のアンケート調査では，性別，年齢，お茶を飲む頻度，味の好みの他，味覚の６要素を５段階で評価した。ここでの味覚の６要素とは，甘味，苦味，渋味，旨味，酸味，塩味とした。このようにして特産品の組合せによる新たな価値を創造したことを，より多くの人に伝えるためには，論文や新聞でまとめたり，ポスターセッションにより表現したりした。この場面においては，各教科等で身に付けた力を発揮し，探究活動によって得られた調査結果を，データの質や伝えたい内容や方法を踏まえて表現する姿が期待される。

②学習活動における生徒の姿と評価の結果

【評価規準「思考・判断・表現④」】

　　探究活動によって得られた調査結果を，データの質や伝えたい内容や方法を踏まえて表現している。

　A校商業科が開発したまんじゅうに最も合う土佐茶を見いだした生徒Cは，特産品の組合せによる新たな価値の創造と自分たちの生活との関わりについての理解は，自らの課題意識のなかで探究してきたことの成果であることを論文としてまとめた。ここでは，探究の過程により研究したこと，この研究は再現できることを表現するために，論文として次の項目を内容とした。

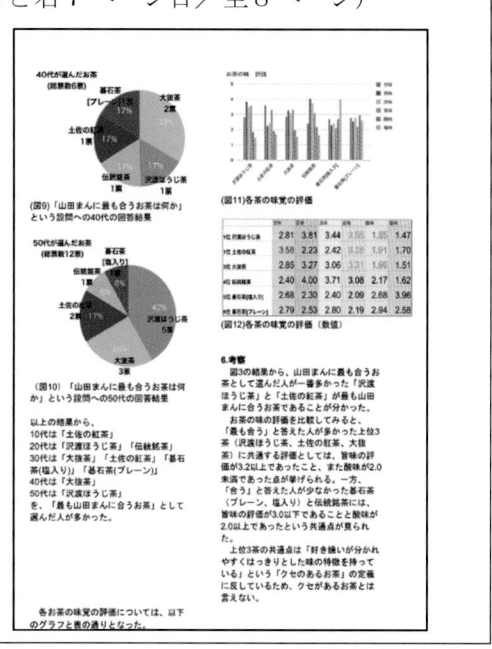

生徒Cの論文（左１ページ目と右７ページ目／全８ページ）

研究テーマ
1．要旨
2．研究動機
3．仮説
4．研究方法
　(1)実験準備
　(2)予備実験
　(3)医学部での講義と pH 実験
　(4)アンケート用紙の作成
　(5)本実験
5．研究結果
6．考察
7．結論，展望
8．参考文献
9．謝辞

【評価の結果】

　生徒Cは，論文でまとめることで，情報を再構成し，自分自身の考えや新たな課題を自覚することにつながった。また，論文でまとめるための具体的な手順や作法を適切に身に付け，研究テーマのもと，「要旨」「研究動機」「仮説」「研究方法」などの項目を設けて論理的にまとめることができた。そこでは，お茶のpH分析とともに試飲による味覚アンケート調査の結果を複合的に扱い表現している。特に，味覚の6要素は主観的・感性的なデータとなるため，それを味覚アンケート調査によって数値化して見える化を図った姿から評価規準に示す資質・能力が育成されていると考えることができる。

　A校商業科が開発したまんじゅうに最も合う土佐茶を見いだした生徒Dは，このまんじゅうと土佐茶の知名度をあげ，ロングセラー商品とするためには，より多くの人がこれらの組み合わせによる味わいのよさを実感することが必要と考えた。そうすることで，味わいのよさを実感した人が，何度も商品を購入したり，知人に勧めたりすることを期待したからである。そこで，ポスターセッションの場面では，味覚の6要素の主観的・感性的なデータを数字で分かりやすく表現するとともに，実際に味わってもらう試飲コーナーを設置してより多くの人に実感してもらうこととした。

【評価の結果】

　生徒Dは，ポスターセッションの場面で情報を再構成し，グループの調査結果を対面発表のよさを生かして，多くの人に伝えた。その際，目的，伝える対象に応じて，内容と表現方法を組み合わせ，より多くの人に研究成果を共感してもらうようにした。ここでは，発表内容に関心をもっている聞き手に向けて発表をするため，聞き手とのやりとりの中で，味覚の6要素の主観的・感性的なデータを数字で分かりやすく説明し，実際にまんじゅうと土佐茶の組み合わせを味わってもらうようにした。これにより，生徒Dと聞き手との質疑応答や意見交換がさらに活発になり，研究成果を共感してもらうポスターセッションとなった。こうした姿から評価規準に示す資質・能力が育成されていると考えることができる。

単元名
　つなぐつなげるプロジェクト
　　　～パンフェスの開催～
　　　　（第3学年）

内容のまとまり

「地域経済」（全35時間）

　本単元は，全体計画に定めた探究課題「地域創生に向けて努力する人々と地域社会」を踏まえて構想した単元である。生徒は，「地域のために今，高校生の私たちができること」を形にするため，地域創生を目指した「SHAプロジェクト」について取り組んでいる。

　第2学年では，数名のグループになり「地域」を盛り上げる活動に取り組む。第3学年は，一人1テーマの「個別テーマ研究」を通して，第2学年までの取組を生かして，全体テーマを踏まえて一人一人が個別テーマを設定し探究していく。

　本単元では，地域創生に向けて，第3学年の全体テーマ「∞3150（令和最高）パンフェス」を中心とした課題解決を通して，社会の流れや経済活動との関連，SDGsの理念などを理解することを目指したものである。

小単元3　SHAプロジェクトのまとめをしよう。（6）

小単元2　個別テーマ研究「∞3150（令和最高）パンフェス」開催に向けて。（23）

小単元1　パンフェスの会開催に向けて。（6）

第3編
事例4

1　単元の目標

　パンフェスの開催に向けた取組を通して，人と人の結び付きが地域の活性化になることを理解し，自らの企画の実現に向けた課題の解決に創造的，協働的に取り組むとともに，地域の素材を生かした調理パンを使って，まちづくりに参画しようとすることができるようにする。

2　単元の評価規準

観点	知識・技能	思考・判断・表現	主体的に学習に取り組む態度
評価規準	①地域には，それぞれの実態に応じた課題があることに気付き，地域課題の解決が自分自身の生活とつながっていることを理解している。 ②人々の思いや願いを受け止めながらコミュニケーションを行い，様々な立場からの情報収集を適切な手段で実施している。 ③地域の課題との関係で自らの将来を考えてきたことやそのことによる自己変容が，これまでに行ってきた探究の積み重ねによるものであると理解している。	①パンフェスを成功させるために，必要な地域資源を把握し，個別テーマに応じて見通しをもって計画書を作成している。 ②パンフェスを開催するために，目的や相手に応じて情報収集の手段を選択している。 ③SDGsとのつながりを意識したパンフェスであるのかを評価するために，集めた情報を分析している。	①地域の活性化に向けたパンフェスの開催のために，個別テーマの特徴を捉えて企画書を作成しようとしている。 ②地域の人々の理解や協力を得られる実効性のある取組とするために，自らの課題の解決に向けて個別テーマを設定しようとしている。 ③地域の活性化につながるパンフェスの開催により，当事者であることに自覚をもち，町づくりに貢献し続けようとしている。

3 指導と評価の計画（全35時間）

小単元名（時数）	ねらい・学習活動	知	思	態	評価方法
パンフェスの開催に向けて（6）	・パンフェスの開催に向けて，個別テーマを設定する。 ・オリエンテーションで，「総合的な探究の時間」の意義，今年の全体テーマを知り，学習の見通しをもつ。 ・自分が設定する個別テーマが地域課題の解決方法を探る内容となっているかを確認する。 ・昨年度までの先行研究の中から関連する資料やデータを検索し，自分の個別テーマの意義を明確にする。 ・個別テーマを踏まえた研究計画書を作成する。		①	②	・リフレクションシート ・研究計画書
個別テーマ研究「∞3150（令和最高）パンフェス」開催に向けて（23）	・パンフェスに関する全体テーマを踏まえ，自分の課題を明確にし，個別に以下のような探究を行う。 　○パンフェスを通してＳＤＧｓの17番目の目標の実現 　○地産地消を意識したパンの商品開発 　○地域の特産品を使ったジャムづくり 　○イベントを開催することで地域を活性化 ・関係機関へ訪問し，取材や質問をしたり，アドバイスを受けたりしながら情報を集める。 ・他者の研究テーマの概要を把握し，互いの目的を達成できるようなパンフェスの企画に取り組む。 ・パンフェスの企画書を作成する。 **具体的事例① 「主体的に学習に取り組む態度①」** ・中間交流会において，個別に以下のような活動を行う。 　○メディアと連携し，番組特集などに出演することで地域へ発信する。 　○ＳＤＧｓの関連で，北海道との共同開発や，市役所や関連企業と調整を図り，協力を得る。 　○他校に協力依頼する。 ・パンフェスを開催する。 　○企業や他校の協力要請 　○お茶パン，塩トマトジャムの開発 　○イベント周知の番組作成　等	② ①	②	①	・リフレクションシート ・研究テーマ設定シート ・企画書 ・リフレクションシート
SHAプロジェクトのまとめをしよう（6）	・プロジェクトのまとめをする。 ・パンフェスを通して，自分の課題や他者の課題の解決を行うことができたかを分析し，まとめる。 ・実践研究発表会で，これまでの協力者などへ成果発表を行うとともに，自己の将来にわたっての課題を見いだす。 ・自分自身の研究のまとめをするとともに，他者の発表を聞き，感想をまとめる。 **具体的事例② 「主体的に学習に取り組む態度③」** ・要約集の作成をする。	③	③	③	・リフレクションシート ・発表 ・リフレクションシート

本単元は，中心的な活動をパンフェスの成功に向けて，一人一人が個別テーマを設定し，その実現に向けて取り組むこととした上で，以下に示す三つの小単元で構成した。評価場面については，小単元ごとの学習活動や学習場面において，資質・能力を発揮する生徒の姿を想定し，以下のような意図をもって設定した。なお，小単元1と小単元3では，全体テーマに基づいた活動とし，小単元2では，生徒ごとに異なる個別テーマに基づいた活動とした。

　小単元1は，パンフェスの開催に伴い，パンやジャムの商品開発，国際交流，イベント企画などを個人研究テーマとして設定する場面であることから「思考・判断・表現①」の評価規準を設定している。また，個別テーマの意義について捉えることが期待できる場面であることから「主体的に学習に取り組む態度②」の評価規準を設定している。

　小単元2は，個別テーマに応じて，情報を収集する場面であることから「知識・技能②」及び「思考・判断・表現②」の評価規準を設定している。また，地域の活性化に向けたパンフェスの開催のために，個別テーマの特徴を捉えて企画書を作成する場面であることから「主体的に学習に取り組む態度①」の評価規準を設定している。さらに，小単元2の後半では，パンフェスを開催し，その振り返りにおいて地域とつながっていることを理解することが期待されることから「知識・技能①」の評価規準を設定している。

　小単元3は，パンフェスにおける地域の方とのつながりによる，新たな視点からの意見や感想，質疑応答を自分の課題との関係で整理・分析する場面であることから「思考・判断・表現③」の評価規準を設定している。また，地域の課題との関係で自らの将来を考えてきたことやそのことによる自己変容が，これまでに行ってきた探究の積み重ねによるものであると理解する場面であることから「知識・技能③」の評価規準を設定した。さらに，自分自身が抱える課題や地域課題に前向きに取り組み，学びに向かう力を身に付けることで，当事者意識をもち，町づくりに貢献しようとする場面であることから「主体的に学習に取り組む態度③」の評価規準を設定している。

4　観点別学習状況の評価の進め方
（1）主体的に学習に取り組む態度（具体的事例❶）
①評価場面

　小単元2の前半では，パンフェスに関する全体テーマを踏まえ，自分の課題を明確にし，個別に以下のような探究を行っている。生徒Aは，パンフェスを通してSDGsの17番目の目標の実現を課題とし，生徒Bは，地産地消を意識したパンの商品開発を課題としている。これら個別の課題を解決するために，関係機関へ訪問し，取材や質問をしたり，アドバイスを受けながら情報を集める。また，他者の研究テーマの概要を把握し，互いの目的を達成できるようなパンフェスの企画に取り組む。

　このような場面においては，地域の活性化に向けたパンフェスの開催のために，個別テーマの特徴を捉えて研究計画書を作成しようとしている姿が期待される。

②学習活動における生徒の姿と評価結果
【評価規準「主体的に学習に取り組む態度①」】
　　　地域の活性化に向けたパンフェスの開催のために，個別テーマの特徴を捉えて研究計画書を
作成しようとしている。

　　　小単元2前半における生徒Aは，先行研究をもとに，パンフェスを開催し地域を盛り上げると
共に，北海道の高校と協働することで，北海道胆振東部地震の復興支援にも貢献したいと考えて
いた。また，校種を超えたコンテストを開催し，多くの方々の協力で地域を盛り上げたいとも考
えていた。このことから，パンフェスを通してＳＤＧｓの17番目の目標の実現を目指すことを
課題に設定した。このことを解決するために，北海道胆振東部地震について，学校訪問や現地調
査により調べた。パンフェスの開催に向けて，校種を超えたパンチャレンジコンテストを開催す
るための企画書の作成，予算獲得に向けた市の補助事業への応募，イベントの周知のための番組
作成などのことについて調べた。

【生徒Aの振り返り】〜企画書への記述〜（リフレクションの部分）
　私は，パンフェスで取り組むことを，最初はパンの商品開発やパン屋の開拓を行うことだと思っ
ていたが，このイベントをより地域の活性化につなげるためには，他にも，予算の確保，小学校や
中学校への呼びかけ，北海道の胆振東部地震の被害の状況把握，復興支援への効果，市役所や企業
の協力依頼など，様々なつながりを大切にしなければならないことに気が付いた。
　現在，パンフェスの開催を言葉に出すことで，協力をしてくれる方々がたくさん増えてきたこと
を実感している。ＳＤＧｓの17番目の目標「パートナーシップで目標を達成しよう」にも近づい
てきたと思う。そこで，自分の取組がより成果をあげるためには，よりたくさんの人につながるこ
とで，より大きなつながりとなることから，目標来場者数を1,000人に修正し，パンフェスの開催
に向けた準備を進めていきたい。

【評価の結果】
　　　生徒Aは，パンフェスを通してＳＤＧｓの17番目の目標の実現を目指すことを個別テーマに
設定した。これは，パンフェスの開催が，多くのつながりを基にして初めて成功するものである
という同校の先輩の発表をヒントにしている。この個別テーマの特徴を捉え，北海道の胆振東部
地震のあった現地に赴き，両校の交流の一環として地元開催を目指すパンフェスへの参加を相
手校に提案した。そして，予算を調達するために市の町づくりに関する企画に応募することを計
画し，プレゼンテーションの資料の作成を友達と進めた。生徒Aは企画書を作成する過程で，協
力者の存在の大きさを改めて実感し，ＳＤＧｓの17番目の目標「パートナーシップで目標を達
成しよう」の実現に向けて，目標来場者数を修正し，より多くの人とつながるようにする計画を
立案し，パンフェスの開催に向けた準備を進めた。こうした姿から評価規準に示す資質・能力が
育成されていると考えることができる。

小単元２の前半における生徒Ｂは，地域の特産品を使ってパンを開発すること，企業と連携して商品化することを考えていた。このことから，パンフェスに向けて地産地消を意識した新商品の開発を課題に設定した。このことを解決するために，特産品であるお茶のことや地域のパン屋について調べた。また，パンの作成方法を学び，試作品に対する専門家のアドバイスを得た。

【生徒Ｂの振り返り】～企画書への記述～（リフレクションの部分）

　パンのアイデアを考えるのは楽しいが，商品化できるかが不安だった。一人で悩んでいたときに，企業の方から，「地域の特産品のお茶を使ったパンを，高校生らしく，キュートにしてみてはどうだろうか」とアドバイスをいただいた。そのおかげで，試行錯誤を何度も繰り返し，オリジナルのパンを試作することができた。パンは，ＳＮＳなどの「映える」を意識して開発した。

　地震があった北海道の高校生にもパンを開発してほしいと思い，北海道に行った時に，依頼をした。お互いの町を高校生の力でもりあげていきたい。

　このあとは，予算や材料の検討，パン屋さんの協力が課題だと感じた。実現のためにはこの先の計画性がとても大切だ。

【評価の結果】

　生徒Ｂは，パンフェスに向けて地産地消を意識した新商品の開発を個別テーマに設定した。パンのアイデアを考える過程において，企業の方のアドバイスをヒントに地域の特産品を生かしつつ，ＳＮＳで見栄えのするオリジナルのパンを開発することを個別テーマの特徴として捉えていた。パンの商品化に向けて，予算や材料の検討や企業の協力を得ようとしている。また，互いの町を元気にしたいという願いから，学校の枠を超えた協働的な学びも進めていた。パン工房などとの打合せに当たっては，これらの要素を盛り込んだ企画書を作成し，具体的な協力を依頼しようとしている。こうした姿から評価規準に示す資質・能力が育成されていると考えることができる。

第３編
事例４

（２）主体的に学習に取り組む態度（具体的事例❷）

　①評価の場面

　　小単元３では，プロジェクトのまとめをする。ここでは，パンフェスを通して，自分の課題や他者の課題の解決を行うことができたかを分析し，まとめる。また，実践研究発表会で，これまでの協力者などへ成果発表を行うとともに，自己の将来にわたっての課題を見いだす。このことにより，自分自身の研究のまとめをするとともに，他者の発表を聞き，感想をまとめる。

　　このような場面においては，地域の活性化につながるパンフェスの開催により，当事者であることに自覚をもち，町づくりに貢献し続けようとする姿が期待される。

②学習活動における生徒の姿と評価の結果

【評価規準「主体的に学習に取り組む態度③」】

　　地域の活性化につながるパンフェスの開催により，当事者であることに自覚をもち，町づくりに貢献し続けようとしている。

　　生徒Cは，地域で有名な塩トマトを使ったジャムづくりを課題と設定した。そのために，塩トマト農園の見学により，トマト栽培について調べるとともに，島の保存会にジャムづくりの手法を学んだ。地域を活性化するためには，地域のトマトとレモンを活用することを考えた。その実現に向けて，青年会議所の協力を得て，ＳＤＧsの地域創生ゲームなどを活用し，具体的な方策を見いだした。パンフェス開催後は，これらの探究過程をパワーポイントでまとめ，青年会議所30周年記念式典で発表した。さらに，要約集も作成した。

┌───┐
│ 【生徒Cの振り返り】～リフレクションシートの記述～
│
│ 　青年会議所の方々の協力で，SDGsについて理解し，研究と目標の
│ 関係を考えることができた。地元の島のおじいさんやおばあさんは，
│ 言葉がきつくて最初はコミュニケーションをとることに躊躇してし
│ まった。しかし，自分がジャムづくりの協力をお願いすると，一緒
│ に何度も試作を重ねてくれて，商品開発をすることができたことが
│ 何よりも嬉しい。大きな場所で発表するという機会は，自分の自信
│ にもなったし，地域の方々から褒められたことも嬉しかった。
│ 　発表後，町を歩いていても，「この前発表した高校生だね」などと
│ 声をかけられることもあり，地域との結びつきが強くなったと思う。
│ 今後は東京などに商品を納品することが夢である。
└───┘

【評価の結果】

　　どちらかというと内気であった性格が，市役所や青年会議所の方々と関わり合うことを通して変化した。一人でも話ができ，他者からのアドバイスによく耳を傾け，自分の研究に取り入れていくという柔軟さが身に付いてきた。ＳＤＧsについては，調べ学習も綿密に行い，ワークショップや講演会で積極的な取組を見せた。島の方々との交流では，はじめは受け身がちだったが，多様な意見を取り入れようとコミュニケーション力を発揮して，能動的，協働的に課題を解決しようという姿勢が見られるようになっている。また，「今後は東京などに商品を納品することが夢である」と書いていることから，町づくりに貢献し続けようという社会参画の意識をもっている。こうした姿から評価規準に示す資質・能力が育成されていると考えることができる。

生徒Dは，将来の夢であるイベントの企画運営に関係して，イベントを開催し地域を盛り上げることの課題を設定した。イベントの企画のために，必要な情報について地域のメディアや企業から聞き取り調査を実施した。その中で，ポスターづくりに必要な予算を組むことや市役所や企業の協力を得る方法を知った。メディアでの発信の他に，インタビュー形式で企業や学校の協力を得ることができると考えた。パンフェス開催後は，パワーポイントによるまとめを作成し，実践報告会で発表したり，要約集にまとめたりした。

【生徒Dの振り返り】〜リフレクションシートへの記述〜

自分の将来の夢を実現させたいので，高校の間にこの探究の時間を活用して，イベントの開催ができれば，就職にも活かすことができると思っている。テレビ番組の編集のためにインタビューの経験をしたことは，自分に対する自信につながった。また，インタビューをすると，何を聞き，何と答えてくるかで情報が集まるという仕組みも分かった。こんなにイベントづくりが大変だとは思わなかったが，その分，たくさんの人たちを巻き込んでできる効果の大きさも分かった。協力してくれたみなさんに感謝の気持ちでいっぱいである。これからも，このような企画を町役場や後輩が開催した場合は，町づくりを支えていく一人になりたい。

【評価の結果】

総合的な探究の時間を，自分の将来の夢と重ねながら，研究を進めることができている。様々な経験が自分自身のスキルアップにつながっていることも自覚している。

他者の言葉を傾聴し，パンフェスの開催を客観的に捉えるとともに，自ら小学校や中学校を訪問し，趣旨の説明や協力を依頼するなど主体的な学びを実践することができた。また，今後も後輩や町役場が町づくりを推進していくことを願い，それを支えていこうとしている。こうした姿から評価規準に示す資質・能力が育成されていると考えることができる。

第3編
事例4

巻末資料

評価規準，評価方法等の工夫改善に関する調査研究について

令和 2 年 4 月 13 日　国立教育政策研究所長裁定
令和 2 年 6 月 25 日　一　　部　　改　　正

1　趣　旨
　　学習評価については，中央教育審議会初等中等教育分科会教育課程部会において「児童生徒の学習評価の在り方について」（平成 31 年 1 月 21 日）の報告がまとめられ，新しい学習指導要領に対応した，各教科等の評価の観点及び評価の観点に関する考え方が示されたところである。

　　これを踏まえ，各小学校，中学校及び高等学校における児童生徒の学習の効果的，効率的な評価に資するため，教科等ごとに，評価規準，評価方法等の工夫改善に関する調査研究を行う。

2　調査研究事項
（1）評価規準及び当該規準を用いた評価方法に関する参考資料の作成
（2）学校における学習評価に関する取組についての情報収集
（3）上記（1）及び（2）に関連する事項

3　実施方法
　　調査研究に当たっては，教科等ごとに教育委員会関係者，教師及び学識経験者等を協力者として委嘱し，2 の事項について調査研究を行う。

4　庶　務
　　この調査研究にかかる庶務は，教育課程研究センターにおいて処理する。

5　実施期間
　　令和 2 年 5 月 1 日〜令和 3 年 3 月 31 日
　　令和 3 年 4 月 16 日〜令和 4 年 3 月 31 日

巻末
資料

評価規準，評価方法等の工夫改善に関する調査研究協力者（五十音順）

（職名は令和3年4月現在）

門倉　りえ　　　　広島県立教育センター企画部主任指導主事

佐藤　友洋　　　　北海道浦河高等学校教諭

堂脇真理子　　　　大分県立大分支援学校教頭

中山　順充　　　　岡山県立真庭高等学校指導教諭

野口　徹　　　　　山形大学教授

国立教育政策研究所においては，次の関係官が担当した。

加藤　智　　　　　国立教育政策研究所教育課程研究センター研究開発部教育課程調査官

齋藤　博伸　　　　国立教育政策研究所教育課程研究センター研究開発部教育課程調査官
　　　　　　　　　　　　　　　　　　　　　　　　　　　　　　　（令和3年4月1日から）

渋谷　一典　　　　国立教育政策研究所教育課程研究センター研究開発部教育課程調査官
　　　　　　　　　　　　　　　　　　　　　　　　　　　　　　　（令和3年3月31日まで）

この他，本書編集の全般にわたり，国立教育政策研究所において以下の者が担当した。

鈴木　敏之　　　　国立教育政策研究所教育課程研究センター長
　　　　　　　　　　　　　　　　　　　　　　　　　　　　　　　（令和2年7月1日から）

笹井　弘之　　　　国立教育政策研究所教育課程研究センター長
　　　　　　　　　　　　　　　　　　　　　　　　　　　　　　　（令和2年6月30日まで）

杉江　達也　　　　国立教育政策研究所教育課程研究センター研究開発部副部長
　　　　　　　　　　　　　　　　　　　　　　　　　　　　　　　（令和3年4月1日から）

清水　正樹　　　　国立教育政策研究所教育課程研究センター研究開発部副部長
　　　　　　　　　　　　　　　　　　　　　　　　　　　　　　　（令和3年3月31日まで）

新井　敬二　　　　国立教育政策研究所教育課程研究センター研究開発部研究開発課長
　　　　　　　　　　　　　　　　　　　　（令和3年4月1日から令和3年7月31日まで）

岩城由紀子　　　　国立教育政策研究所教育課程研究センター研究開発部研究開発課長
　　　　　　　　　　　　　　　　　　　　　　　　　　　　　　　（令和3年3月31日まで）

間宮　弘介　　　　国立教育政策研究所教育課程研究センター研究開発部研究開発課指導係長

奥田　正幸　　　　国立教育政策研究所教育課程研究センター研究開発部研究開発課指導係専門職
　　　　　　　　　　　　　　　　　　　　　　　　　　　　　　　（令和3年3月31日まで）

髙辻　正明　　　　国立教育政策研究所教育課程研究センター研究開発部教育課程特別調査員

前山　大樹　　　　国立教育政策研究所教育課程研究センター研究開発部教育課程特別調査員
　　　　　　　　　　　　　　　　　　　　　　　　　　　　　　　（令和3年4月1日から）

巻末
資料

学習指導要領等関係資料について

　学習指導要領等の関係資料は以下のとおりです。いずれも，文部科学省や国立教育政策研究所のウェブサイトから閲覧が可能です。スマートフォンなどで閲覧する際は，以下の二次元コードを読み取って，資料に直接アクセスすることが可能です。本書と併せて是非御覧ください。

① 学習指導要領，学習指導要領解説　等
② 中央教育審議会答申「幼稚園，小学校，中学校，高等学校及び特別支援学校の学習指導要領等の改善及び必要な方策等について」(平成 28 年 12 月 21 日)
③ 中央教育審議会初等中等教育分科会教育課程部会報告「児童生徒の学習評価の在り方について」(平成 31 年 1 月 21 日)
④ 小学校，中学校，高等学校及び特別支援学校等における児童生徒の学習評価及び指導要録の改善等について(平成 31 年 3 月 29 日 30 文科初第 1845 号初等中等教育局長通知)
　　　　　　　　※各教科等の評価の観点等及びその趣旨や指導要録(参考様式)は，同通知に掲載。
⑤ 学習評価の在り方ハンドブック(小・中学校編)(令和元年 6 月)
⑥ 学習評価の在り方ハンドブック(高等学校編)(令和元年 6 月)
⑦ 平成 29 年改訂の小・中学校学習指導要領に関する Q&A
⑧ 平成 30 年改訂の高等学校学習指導要領に関する Q&A
⑨ 平成 29・30 年改訂の学習指導要領下における学習評価に関する Q&A

①　②　③
④　⑤　⑥
⑦　⑧　⑨

巻末
資料

学習評価の在り方ハンドブック

高等学校編

文部科学省　国立教育政策研究所教育課程研究センター

学習指導要領

学習指導要領とは, 国が定めた「教育課程の基準」です。

（学校教育法施行規則第52条, 74条, 84条及び129条等より）

■学習指導要領の構成
〈高等学校の例〉

前文　第1章　総則
　　　第2章　各学科に共通する各教科
　　　　　第1節　国語
　　　　　第2節　地理歴史
　　　　　第3節　公民
　　　　　第4節　数学
　　　　　第5節　理科
　　　　　第6節　保健体育
　　　　　第7節　芸術
　　　　　第8節　外国語
　　　　　第9節　家庭
　　　　　第10節　情報
　　　　　第11節　理数
　　　第3章　主として専門学科において
　　　　　　　開設される各教科
　　　　　第1節　農業
　　　　　第2節　工業
　　　　　第3節　商業
　　　　　第4節　水産
　　　　　第5節　家庭
　　　　　第6節　看護
　　　　　第7節　情報
　　　　　第8節　福祉
　　　　　第9節　理数
　　　　　第10節　体育
　　　　　第11節　音楽
　　　　　第12節　美術
　　　　　第13節　英語
　　　第4章　総合的な探究の時間
　　　第5章　特別活動

総則は, 以下の項目で整理され, 全ての教科等に共通する事項が記載されています。
● 第1款　高等学校教育の基本と教育課程の役割
● 第2款　教育課程の編成
● 第3款　教育課程の実施と学習評価
● 第4款　単位の修得及び卒業の認定
● 第5款　生徒の発達の支援
● 第6款　学校運営上の留意事項
● 第7款　道徳教育に関する配慮事項

> 学習評価の実施に当たっての配慮事項

各教科等の目標, 内容等が記載されています。
（例）第1節　国語
● 第1款　目標
● 第2款　各科目
● 第3款　各科目にわたる指導計画の作成と内容の取扱い

　平成30年改訂学習指導要領の各教科等の目標や内容は, 教育課程全体を通して育成を目指す資質・能力の三つの柱に基づいて再整理されています。

ア　何を理解しているか, 何ができるか
　　（生きて働く「知識・技能」の習得）
　　※職業に関する教科については, 「知識・技術」
イ　理解していること・できることをどう使うか（未知の状況にも対応できる「思考力・判断力・表現力等」の育成）
ウ　どのように社会・世界と関わり, よりよい人生を送るか
　　（学びを人生や社会に生かそうとする「学びに向かう力・人間性等」の涵養）

平成30年改訂「高等学校学習指導要領」より

詳しくは, 文部科学省Webページ「学習指導要領のくわしい内容」をご覧ください。
(http://www.mext.go.jp/a_menu/shotou/new-cs/1383986.htm)

学習指導要領解説

　学習指導要領解説とは，大綱的な基準である学習指導要領の記述の意味や解釈などの詳細について説明するために，文部科学省が作成したものです。

■学習指導要領解説の構成
〈高等学校 国語編の例〉

● 第1章　総説
　第1節　改訂の経緯及び基本方針
　　1　改訂の経緯
　　2　改訂の基本方針

> 総説
> 改訂の経緯及び
> 基本方針

　第2節　国語科改訂の趣旨及び要点
　　1　国語科改訂の趣旨及び要点
　第3節　国語科の目標
　　1　教科の目標
　　2　科目の目標

> 教科等の目標，
> 内容及び
> 科目編成

　第4節　国語科の内容
　　1　内容の構成
　　2　〔知識及び技能〕の内容
　　3　〔思考力,判断力,表現力等〕の内容
　第5節　国語科の科目編成
　　1　科目の編成
　　2　各科目の構成
● 第2章　国語科の各科目
　第1節　現代の国語
　　1　性格
　　2　目標
　　3　内容
　　4　内容の取扱い

> 各科目の性格，
> 目標及び内容等

　第2節　言語文化
　　1　性格
　　2　目標
　　3　内容
　　4　内容の取扱い
　第3節　論理国語
　　1　性格
　　2　目標
　　3　内容
　　4　内容の取扱い

　第4節　文学国語
　　1　性格
　　2　目標
　　3　内容
　　4　内容の取扱い
　第5節　国語表現
　　1　性格
　　2　目標
　　3　内容
　　4　内容の取扱い
　第6節　古典探究
　　1　性格
　　2　目標
　　3　内容
　　4　内容の取扱い
● 第3章　各科目にわたる指導計画の作成と内容の取扱い
　　1　指導計画作成上の配慮事項
　　2　内容の取扱いに当たっての配慮事項
　　3　総則関連事項

> 指導計画作成や
> 内容の取扱いに係る
> 配慮事項

● 付録
　付録1：学校教育施行規則(抄)
　付録2：高等学校学習指導要領　第1章　総則
　付録3：高等学校学習指導要領　第2章　第1節　国語
　付録4：教科の目標,各科目の目標及び内容の系統表(高等学校国語科)
　付録5：中学校学習指導要領　第2章　第1節　国語
　付録6：教科の目標,各学年の目標及び内容の系統表(小・中学校国語科)
　付録7：高等学校学習指導要領　第2章　第8節　外国語
　付録8：小・中学校のおける「道徳の内容」の学年段階・学校段階の一覧表

> 参考
> (系統性等)

「高等学校学習指導要領解説 国語編」より
※「総則編」,「総合的な探究の時間編」及び「特別活動編」は異なった構成となっています。

> 教師は，学習指導要領で定めた資質・能力が，生徒に確実に育成されているかを評価します

学習評価の基本的な考え方

　学習評価は, 学校における教育活動に関し, 生徒の学習状況を評価するものです。「生徒にどういった力が身に付いたか」という学習の成果を的確に捉え, **教師が指導の改善を図る**とともに, **生徒自身が自らの学習を振り返って次の学習に向かうことができるようにする**ためにも, 学習評価の在り方は重要であり, 教育課程や学習・指導方法の改善と一貫性のある取組を進めることが求められます。

カリキュラム・マネジメントの一環としての指導と評価

　各学校は, 日々の授業の下で生徒の学習状況を評価し, その結果を生徒の学習や教師による指導の改善や学校全体としての教育課程の改善, 校務分掌を含めた組織運営等の改善に生かす中で, 学校全体として組織的かつ計画的に教育活動の質の向上を図っています。

　このように,「学習指導」と「学習評価」は学校の教育活動の根幹であり, 教育課程に基づいて組織的かつ計画的に教育活動の質の向上を図る「カリキュラム・マネジメント」の中核的な役割を担っています。

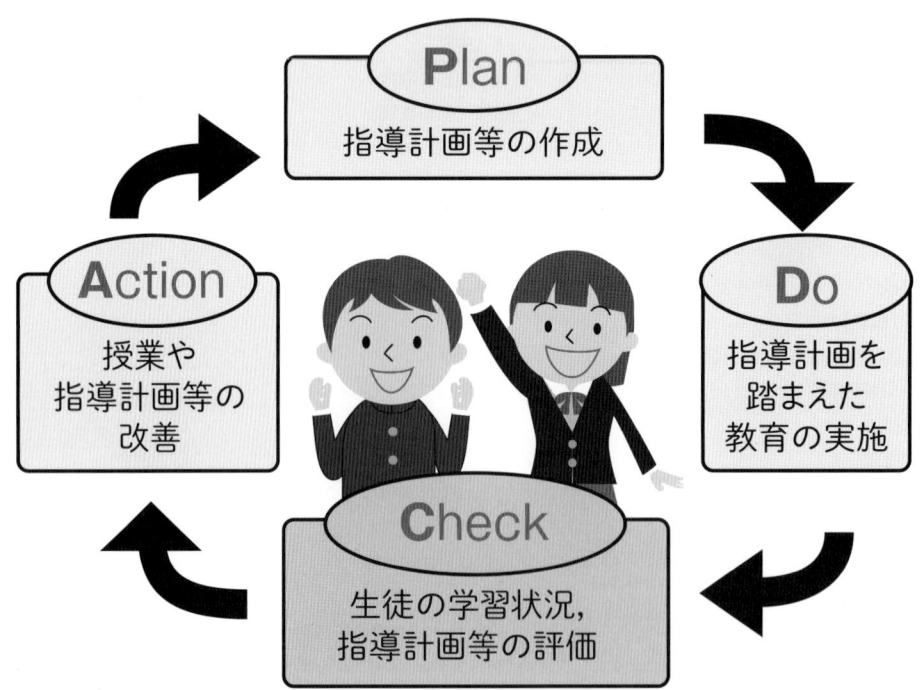

主体的・対話的で深い学びの視点からの授業改善と評価

　指導と評価の一体化を図るためには, 生徒一人一人の学習の成立を促すための評価という視点を一層重視することによって, 教師が自らの指導のねらいに応じて授業の中での生徒の学びを振り返り, 学習や指導の改善に生かしていくというサイクルが大切です。平成30年改訂学習指導要領で重視している「主体的・対話的で深い学び」の視点からの授業改善を通して, 各教科等における資質・能力を確実に育成する上で, 学習評価は重要な役割を担っています。

次の授業では
〇〇を重点的に
指導しよう。

〇〇のところは
もっと～した方が
よいですね。

☑ 教師の指導改善に
つながるものにしていくこと

☑ 生徒の学習改善に
つながるものにしていくこと

☑ これまで慣行として行われてきたことでも,
必要性・妥当性が認められないものは
見直していくこと

学習評価の基本的な考え方

詳しくは,平成31年3月29日文部科学省初等中等教育局長通知「小学校,中学校,高等学校及び特別支援学校等における児童生徒の学習評価及び指導要録の改善等について(通知)」をご覧ください。
(http://www.mext.go.jp/b_menu/hakusho/nc/1415169.htm)

コラム　　　　評価に戸惑う生徒の声

「先生によって観点の重みが違うんです。授業態度をとても重視する先生もいるし,テストだけで判断するという先生もいます。そうすると,どう努力していけばよいのか本当に分かりにくいんです。」(中央教育審議会初等中等教育分科会教育課程部会 児童生徒の学習評価に関するワーキンググループ第7回における高等学校3年生の意見より)

あくまでこれは一部の意見ですが,学習評価に対する生徒のこうした意見には,適切な評価を求める切実な思いが込められています。そのような生徒の声に応えるためにも,教師は,生徒への学習状況のフィードバックや,授業改善に生かすという評価の機能を一層充実させる必要があります。教師と生徒が共に納得する学習評価を行うためには,評価規準を適切に設定し,評価の規準や方法について,教師と生徒及び保護者で共通理解を図るガイダンス的な機能と,生徒の自己評価と教師の評価を結び付けていくカウンセリング的な機能を充実させていくことが重要です。

Column

学習評価の基本構造

平成30年改訂で,学習指導要領の目標及び内容が資質・能力の三つの柱で再整理されたことを踏まえ,各教科における観点別学習状況の評価の観点については,「知識・技能」,「思考・判断・表現」,「主体的に学習に取り組む態度」の3観点に整理されています。

「学びに向かう力,人間性等」には
①「主体的に学習に取り組む態度」として観点別評価(学習状況を分析的に捉える)を通じて見取ることができる部分と,
②観点別評価や評定にはなじまず,こうした評価では示しきれないことから個人内評価を通じて見取る部分があります。

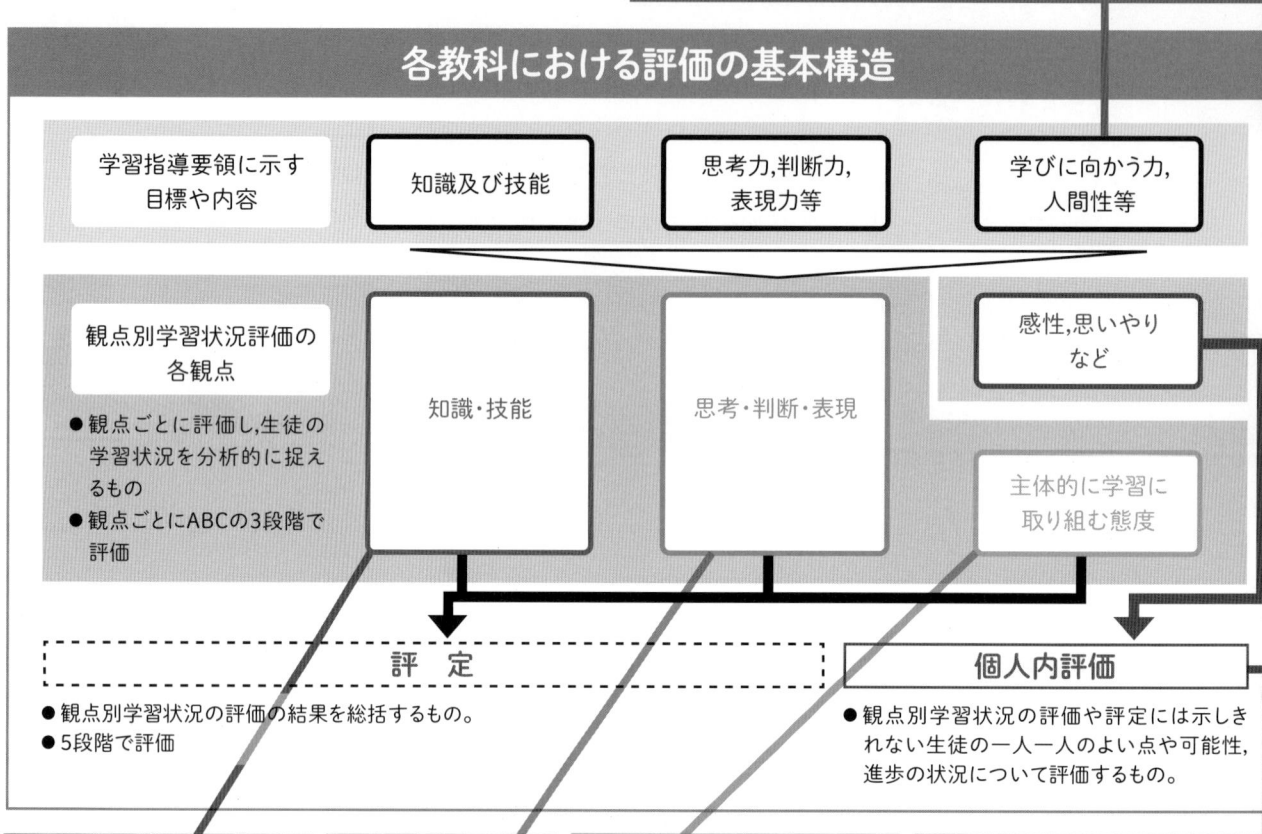

各教科における評価の基本構造

| 学習指導要領に示す目標や内容 | 知識及び技能 | 思考力,判断力,表現力等 | 学びに向かう力,人間性等 |

観点別学習状況評価の各観点
● 観点ごとに評価し,生徒の学習状況を分析的に捉えるもの
● 観点ごとにABCの3段階で評価

知識・技能 　　思考・判断・表現

感性,思いやりなど

主体的に学習に取り組む態度

評 定
● 観点別学習状況の評価の結果を総括するもの。
● 5段階で評価

個人内評価
● 観点別学習状況の評価や評定には示しきれない生徒の一人一人のよい点や可能性,進歩の状況について評価するもの。

各教科等における学習の過程を通した知識及び技能の習得状況について評価を行うとともに,それらを既有の知識及び技能と関連付けたり活用したりする中で,他の学習や生活の場面でも活用できる程度に概念等を理解したり,技能を習得したりしているかを評価します。

各教科等の知識及び技能を活用して課題を解決する等のために必要な思考力,判断力,表現力等を身に付けているかどうかを評価します。

知識及び技能を獲得したり,思考力,判断力,表現力等を身に付けたりするために,自らの学習状況を把握し,学習の進め方について試行錯誤するなど自らの学習を調整しながら,学ぼうとしているかどうかという意思的な側面を評価します。

個人内評価の対象となるものについては,生徒が学習したことの意義や価値を実感できるよう,日々の教育活動等の中で生徒に伝えることが重要です。特に,「学びに向かう力,人間性等」のうち「感性や思いやり」など生徒一人一人のよい点や可能性,進歩の状況などを積極的に評価し生徒に伝えることが重要です。

詳しくは,平成31年1月21日文部科学省中央教育審議会初等中等教育分科会教育課程部会「児童生徒の学習評価の在り方について(報告)」をご覧ください。
(http://www.mext.go.jp/b_menu/shingi/chukyo/chukyo3/004/gaiyou/1412933.htm)

総合的な探究の時間及び特別活動の評価について

総合的な探究の時間, 特別活動についても, 学習指導要領等で示したそれぞれの目標や特質に応じ, 適切に評価します。

総合的な探究の時間

総合的な探究の時間の評価の観点については, 学習指導要領に示す「第1 目標」を踏まえ, 各学校において具体的に定めた目標, 内容に基づいて, 以下を参考に定めることとしています。

知識・技能	思考・判断・表現	主体的に学習に取り組む態度
探究の過程において, 課題の発見と解決に必要な知識及び技能を身に付け, 課題に関わる概念を形成し, 探究の意義や価値を理解している。	実社会や実生活と自己との関わりから問いを見いだし, 自分で課題を立て, 情報を集め, 整理・分析して, まとめ・表現している。	探究に主体的・協働的に取り組もうとしているとともに, 互いのよさを生かしながら, 新たな価値を創造し, よりよい社会を実現しようとしている。

この3つの観点に則して生徒の学習状況を見取ります。

特別活動

従前, 高等学校等における特別活動において行った生徒の活動の状況については, 主な事実及び所見を文章で記述することとされていたところ, 文章記述を改め, 各学校が設定した観点を記入した上で, 活動・学校行事ごとに, 評価の観点に照らして十分満足できる活動の状況にあると判断される場合に, ○印を記入することとしています。

評価の観点については, 特別活動の特質と学校の創意工夫を生かすということから, 設置者ではなく, 各学校が評価の観点を定めることとしています。その際, 学習指導要領等に示す特別活動の目標や学校として重点化した内容を踏まえ, 例えば以下のように, 具体的な観点を示すことが考えられます。

特別活動の記録						
内容	観点	学年	1	2	3	4
ホームルーム活動	よりよい生活や社会を構築するための知識・技能		○		○	
生徒会活動	集団や社会の形成者としての思考・判断・表現			○		
	主体的に生活や社会, 人間関係をよりよく構築しようとする態度					
学校行事				○	○	

高等学校生徒指導要録(参考様式)様式2の記入例　(3年生の例)

> 各学校で定めた観点を記入した上で, 内容ごとに, 十分満足できる状況にあると判断される場合に, ○印を記入します。
> ○印をつけた具体的な活動の状況等については,「総合所見及び指導上参考となる諸事項」の欄に簡潔に記述することで, 評価の根拠を記録に残すことができます。

なお, 特別活動は, ホームルーム担任以外の教師が指導することも多いことから, 評価体制を確立し, 共通理解を図って, 生徒のよさや可能性を多面的・総合的に評価するとともに, 指導の改善に生かすことが求められます。

観点別学習状況の評価について

　観点別学習状況の評価とは,学習指導要領に示す目標に照らして,その実現状況がどのようなものであるかを,観点ごとに評価し,生徒の学習状況を分析的に捉えるものです。

▌「知識・技能」の評価の方法

　「知識・技能」の評価の考え方は,従前の評価の観点である「知識・理解」,「技能」においても重視してきたところです。具体的な評価方法としては,例えばペーパーテストにおいて,事実的な知識の習得を問う問題と,知識の概念的な理解を問う問題とのバランスに配慮するなどの工夫改善を図る等が考えられます。また,生徒が文章による説明をしたり,各教科等の内容の特質に応じて,観察・実験をしたり,式やグラフで表現したりするなど実際に知識や技能を用いる場面を設けるなど,多様な方法を適切に取り入れていくこと等も考えられます。

▌「思考・判断・表現」の評価の方法

　「思考・判断・表現」の評価の考え方は,従前の評価の観点である「思考・判断・表現」においても重視してきたところです。具体的な評価方法としては,ペーパーテストのみならず,論述やレポートの作成,発表,グループでの話合い,作品の制作や表現等の多様な活動を取り入れたり,それらを集めたポートフォリオを活用したりするなど評価方法を工夫することが考えられます。

▌「主体的に学習に取り組む態度」の評価の方法

　具体的な評価方法としては,ノートやレポート等における記述,授業中の発言,教師による行動観察や,生徒による自己評価や相互評価等の状況を教師が評価を行う際に考慮する材料の一つとして用いることなどが考えられます。その際,各教科等の特質に応じて,生徒の発達の段階や一人一人の個性を十分に考慮しながら,「知識・技能」や「思考・判断・表現」の観点の状況を踏まえた上で,評価を行う必要があります。

「主体的に学習に取り組む態度」の評価のイメージ

○「主体的に学習に取り組む態度」の評価については,①知識及び技能を獲得したり,思考力,判断力,表現力等を身に付けたりすることに向けた粘り強い取組を行おうとする側面と,②①の粘り強い取組を行う中で,自らの学習を調整しようとする側面,という二つの側面から評価することが求められる。

○これら①②の姿は実際の教科等の学びの中では別々ではなく相互に関わり合いながら立ち現れるものと考えられる。例えば,自らの学習を全く調整しようとせず粘り強く取り組み続ける姿や,粘り強さが全くない中で自らの学習を調整する姿は一般的ではない。

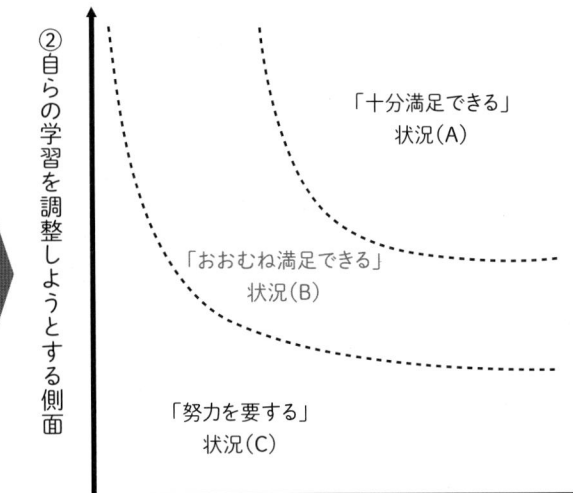

ここでの評価は,その学習の調整が「適切に行われるか」を必ずしも判断するものではなく,学習の調整が知識及び技能の習得などに結びついていない場合には,教師が学習の進め方を適切に指導することが求められます。

「自らの学習を調整しようとする側面」とは…

自らの学習状況を把握し,学習の進め方について試行錯誤するなどの意思的な側面のことです。評価に当たっては,生徒が自らの理解の状況を振り返ることができるような発問の工夫をしたり,自らの考えを記述したり話し合ったりする場面,他者との協働を通じて自らの考えを相対化する場面を,単元や題材などの内容のまとまりの中で設けたりするなど,「主体的・対話的で深い学び」の視点からの授業改善を図る中で,適切に評価できるようにしていくことが重要です。

コラム

「主体的に学習に取り組む態度」は,「関心・意欲・態度」と同じ趣旨ですが…
〜こんなことで評価をしていませんでしたか?〜

平成31年1月21日文部科学省中央教育審議会初等中等教育分科会教育課程部会「児童生徒の学習評価の在り方について(報告)」では,学習評価について指摘されている課題として,「関心・意欲・態度」の観点について「学校や教師の状況によっては,挙手の回数や毎時間ノートを取っているかなど,性格や行動面の傾向が一時的に表出された場面を捉える評価であるような誤解が払拭し切れていない」ということが指摘されました。これを受け,従来から重視されてきた各教科等の学習内容に関心をもつことのみならず,よりよく学ぼうとする意欲をもって学習に取り組む態度を評価するという趣旨が改めて強調されました。

Column

学習評価の充実

学習評価の妥当性，信頼性を高める工夫の例

- 評価規準や評価方法について，事前に教師同士で検討するなどして明確にすること，評価に関する実践事例を蓄積し共有していくこと，評価結果についての検討を通じて評価に係る教師の力量の向上を図ることなど，学校として組織的かつ計画的に取り組む。
- 学校が生徒や保護者に対し，評価に関する仕組みについて事前に説明したり，評価結果についてより丁寧に説明したりするなど，評価に関する情報をより積極的に提供し生徒や保護者の理解を図る。

評価時期の工夫の例

- 日々の授業の中では生徒の学習状況を把握して指導に生かすことに重点を置きつつ，各教科における「知識・技能」及び「思考・判断・表現」の評価の記録については，原則として単元や題材などのまとまりごとに，それぞれの実現状況が把握できる段階で評価を行う。
- 学習指導要領に定められた各教科等の目標や内容の特質に照らして，複数の単元や題材などにわたって長期的な視点で評価することを可能とする。

学年や学校間の円滑な接続を図る工夫の例

- 「キャリア・パスポート」を活用し，生徒の学びをつなげることができるようにする。
- 入学者選抜の方針や選抜方法の組合せ，調査書の利用方法，学力検査の内容等について見直しを図る。
- 大学入学者選抜において用いられる調査書を見直す際には，観点別学習状況の評価について記載する。
- 大学入学者選抜については，高等学校における指導の在り方の本質的な改善を促し，また，大学教育の質的転換を大きく加速し，高等学校教育・大学教育を通じた改革の好循環をもたらすものとなるような改革を進めることが考えられる。

評価方法の工夫の例

高校生のための学びの基礎診断の認定ツールを活用した例

高校生のための学びの基礎診断とは,高校段階における生徒の基礎学力の定着度合いを測定する民間の試験等を文部科学省が一定の要件に適合するものとして認定する仕組みで,平成30年度から制度がスタートしています。学習指導要領を踏まえた出題の基本方針に基づく問題設計や,主として思考力・判断力・表現力等を問う問題の出題等が認定基準となっています。受検結果等から,生徒の課題等を把握し,自らの指導や評価の改善につなげることも考えられます。

詳しくは,文部科学省Webページ「高校生のための学びの基礎診断」をご覧ください。
(http://www.mext.go.jp/a_menu/shotou/kaikaku/1393878.htm)

 コラム

評価の方法の共有で働き方改革

ペーパーテスト等のみにとらわれず,一人一人の学びに着目して評価をすることは,教師の負担が増えることのように感じられるかもしれません。しかし,生徒の学習評価は教育活動の根幹であり,「カリキュラム・マネジメント」の中核的な役割を担っています。その際,助けとなるのは,教師間の協働と共有です。

評価の方法やそのためのツールについての悩みを一人で抱えることなく,学校全体や他校との連携の中で,計画や評価ツールの作成を分担するなど,これまで以上に協働と共有を進めれば,教師一人当たりの量的・時間的・精神的な負担の軽減につながります。風通しのよい評価体制を教師間で作っていくことで,評価方法の工夫改善と働き方改革にもつながります。

「指導と評価の一体化の取組状況」

A:学習評価を通じて,学習評価のあり方を見直すことや個に応じた指導の充実を図るなど,指導と評価の一体化に学校全体で取り組んでいる。

B:指導と評価の一体化の取組は,教師個人に任されている。

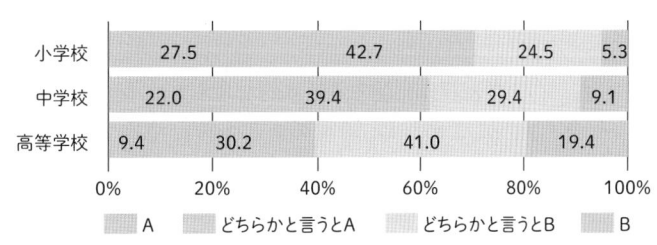

（平成29年度文部科学省委託調査「学習指導と学習評価に対する意識調査」より）

Column

学習評価の充実

Q&A −先生方の質問にお答えします−

Q1 1回の授業で，3つの観点全てを評価しなければならないのですか。

A. 学習評価については，日々の授業の中で生徒の学習状況を適宜把握して指導の改善に生かすことに重点を置くことが重要です。したがって観点別学習状況の評価の記録に用いる評価については，毎回の授業ではなく原則として単元や題材などの内容や時間のまとまりごとに，それぞれの実現状況を把握できる段階で行うなど，その場面を精選することが重要です。

Q2 「十分満足できる」状況（A）はどのように判断したらよいのですか。

A. 各教科において「十分満足できる」状況（A）と判断するのは，評価規準に照らし，生徒が実現している学習の状況が質的な高まりや深まりをもっていると判断される場合です。「十分満足できる」状況（A）と判断できる生徒の姿は多様に想定されるので，学年会や教科部会等で情報を共有することが重要です。

Q3 高等学校における観点別評価の在り方で、留意すべきことは何ですか？

A. これまでも，高等学校における学習評価では，生徒一人一人に対して観点別評価と生徒へのフィードバックが行われてきましたが，指導要録の参考様式に観点別学習状況の記載欄がなかったこともあり，指導要録に観点別学習状況を記録している高等学校は13.3％にとどまっていました（平成29年度文部科学省委託調査「学習指導と学習評価に対する意識調査」より）。平成31年3月29日文部科学省初等中等教育局長通知「小学校,中学校,高等学校及び特別支援学校等における児童生徒の学習評価及び指導要録の改善等について（通知）」における観点別学習状況の評価に係る説明が充実したことと指導要録の参考様式に記載欄が設けられたことを踏まえ，高等学校では観点別学習状況の評価を更に充実し，その質を高めることが求められます。

Q4 評定以外の学習評価についても保護者の理解を得るにはどのようにすればよいのでしょうか。

A. 保護者説明会等において，学習評価に関する説明を行うことが効果的です。各教科等における成果や課題を明らかにする「観点別学習状況の評価」と，教育課程全体を見渡した学習状況を把握することが可能な「評定」について，それぞれの利点や，上級学校への入学者選抜に係る調査書のねらいや活用状況を明らかにすることは，保護者との共通理解の下で生徒への指導を行っていくことにつながります。

Q5 障害のある生徒の学習評価について、どのようなことに配慮すべきですか。

A. 学習評価に関する基本的な考え方は，障害のある生徒の学習評価についても変わるものではありません。このため，障害のある生徒については，特別支援学校等の助言または援助を活用しつつ，個々の生徒の障害の状態等に応じた指導内容や指導方法の工夫を行い，その評価を適切に行うことが必要です。また，指導要録の通級による指導に関して記載すべき事項が個別の指導計画に記載されている場合には，その写しをもって指導要録への記入に替えることも可能としました。

文部科学省
国立教育政策研究所
National Institute for Educational Policy Research

令和元年6月
文部科学省　国立教育政策研究所教育課程研究センター
〒100-8951 東京都千代田区霞が関3丁目2番2号　TEL 03-6733-6833（代表）

「指導と評価の一体化」のための
学習評価に関する参考資料
【高等学校 総合的な探究の時間】

令和 3 年 11 月 12 日	初版発行
令和 5 年 2 月 24 日	3 版発行

著作権所有	国立教育政策研究所 教育課程研究センター
発 行 者	東京都千代田区神田錦町 2 丁目 9 番 1 号 コンフォール安田ビル 2 階 株式会社 東洋館出版社 代表者 錦織 圭之介
印 刷 者	大阪市住之江区中加賀屋 4 丁目 2 番 10 号 岩岡印刷株式会社

発 行 所	東京都千代田区神田錦町 2 丁目 9 番 1 号 コンフォール安田ビル 2 階 株式会社 東洋館出版社 電話 03-6778-4343

ISBN978-4-491-04713-3　　　　定価：本体 1,500 円
（税込 1,650 円）税 10%